LES SAISONS GOURMANDES

de Jérôme Ferrer

LES ÉDITIONS LA SEMAINE
2050, rue De Bleury, bureau 500
Montréal (Québec) H3A 2J5

Éditeur : Claude J. Charron
Directeur-général des éditions : Pierre Bourdon
Directrice des éditions : Annie Tonneau
Directrice artistique : Lyne Préfontaine
Coordonnateur aux éditions : Jean-François Gosselin

Infographiste : Marylène Gingras
Scanneristes : Éric Lépine, Michel Mercure
Réviseures-correctrices : Marie-Hélène Cardinal, Nathalie Ferraris

Photo de la couverture : Christian Hébert
Photos intérieures : Christian Hébert, Shutterstock
Accessoiriste recettes festives : Nathalie Ferraris
Sommelier : Jack Grimaudo, chef sommelier, restaurant Europea

Nous reconnaissons l'aide financière du gouvernement du Canada
par l'entremise du Fonds du livre du Canada pour nos activités d'édition.

© Charron Éditeur Inc.
Dépôt légal : quatrième trimestre 2012
Bibliothèque et Archives nationales du Québec
Bibliothèque et Archives Canada

ISBN (version imprimée) : 978-2-89703-092-6
ISBN (version PDF) : 978-2-89703-093-3

LES SAISONS GOURMANDES

de Jérôme Ferrer

ÉDITIONS
LA SEMAINE

**IMPRIMERIES
TRANSCONTINENTAL**

IMPRIMÉ AU CANADA

Notre distributeur :
Messageries de presse Benjamin
101, rue Henry-Bessemer,
Bois-des-Filion (Québec)
J6Z 4S9

Tél. : 450 621-8167

Je dis souvent qu'il n'existe pas de grande ou de petite cuisine,
mais seulement de la bonne ou de la mauvaise cuisine.
Un bon produit, une bonne cuisson et un bon assaisonnement,
et voilà, le tour est joué. C'est juste ça le secret!

Cuisiner pour les autres n'est pas une mince affaire.
Il s'agit avant tout d'un acte d'amour et de générosité à prodiguer
autour d'une table et en bonne compagnie.

Dans ce livre, vous ne trouverez aucune des recettes
de mes nombreux restaurants. Je vous invite plutôt à entrer
dans mon intimité en partageant avec vous quelques-unes
de mes recettes gourmandes qui m'accompagnent
au fil des saisons et qui font le bonheur de ma famille
et de mes amis. Aujourd'hui, c'est avec vous
que je veux les partager, en toute simplicité.

De quoi se régaler en bonne compagnie!

Jérôme Ferrer
Grand Chef
Relais & Châteaux

Vive la fraîcheur

et l'abondance

sur les étals du marché!

Mes recettes gourmandes
ESTIVALES

Salade Waldorf, façon César

LES INGRÉDIENTS DE BASE DE CETTE SALADE SONT LE CÉLERI-RAVE, LES POMMES, LA MAYONNAISE ET LES NOIX DE GRENOBLE. VOUS VERREZ QU'AUJOURD'HUI, NOUS LUI DONNONS UNE ALLURE ET UN GOÛT PLUS MODERNES!

INGRÉDIENTS

- 1 laitue romaine
- 2 pommes vertes Granny Smith
- 1/4 tasse (60 ml) de mayonnaise
- Le jus de 1 citron
- Sel et poivre du moulin
- 3 poitrines de poulet grillées
- 1 tasse (250 ml) de petites crevettes cuites et décortiquées
- 1 tasse de céleri émincé
- 1 tasse (250 ml) de raisins coupés en deux
- 1/2 tasse (125 ml) de noix de Grenoble
- 1/2 tasse (125 ml) de croûtons

PRÉPARATION

1. Laver à grande eau la romaine et l'émincer. Couper en fines tranches les pommes vertes, en conservant la peau. Dans un grand bol, déposer la mayonnaise et le jus de citron, et assaisonner.

2. Couper les poitrines de volaille en petits cubes et les incorporer au mélange de sauce.

3. Mélanger ensemble tous les ingrédients, bien remuer et conserver au frais de 15 à 20 minutes avant de servir.

4. Au goût, on peut émincer quelques fines herbes fraîches, comme de la ciboulette et de l'aneth, et en parsemer la salade.

Niçoise à ma façon

ORIGINAIRE DU COMTÉ DE NICE, CETTE SALADE A ÉTÉ REVISITÉE À MAINTES REPRISES
PAR PLUSIEURS CHEFS. MAIS ATTENTION : AUCUN LÉGUME CUIT N'ENTRE DANS SA COMPOSITION D'ORIGINE;
SEULS LES ŒUFS ONT DROIT À UN COUP DE CHALEUR!

INGRÉDIENTS

- 1 filet de thon d'environ 1 lb (500 g)
- 1 c. à thé (5 ml) d'herbes
  de Provence
- 2 gousses d'ail hachées
- Sel et poivre du moulin
- 1 laitue frisée
- 300 g (2/3 lb) de haricots verts
  blanchis
- 1 poivron vert et 1 poivron rouge
  coupés en lanières
- 1 concombre en fines rondelles
- 1 tasse (250 ml) de tomates
  cerises
- 1/4 tasse (60 ml) d'oignon rouge
  émincé
- 6 œufs cuits durs
- 1/4 lb (100 g) de filets d'anchois
- 1 tasse (250 ml) d'olives noires
  dénoyautées
- 1 c. à soupe (15 ml) de basilic
  et d'estragon hachés
- Quelques gouttes de vinaigre
  de vin rouge
- 1 filet d'huile d'olive

PRÉPARATION

1. Dans un grand bol, déposer le thon, verser un filet d'huile d'olive et ajouter les herbes de Provence ainsi que l'ail haché. Assaisonner.
2. Sur un barbecue ou dans une poêle bien chaude, faire colorer les surfaces du thon sans le faire cuire à cœur. Une fois refroidi, l'émincer en fines tranches.

3. Déposer la laitue frisée dans un grand plat de service. Disposer les haricots verts ainsi que les poivrons coupés en lanières.
4. Ajouter le concombre, les tomates cerises et l'oignon rouge. Diviser les œufs en quartiers et déposer un filet d'anchois sur chacun d'eux.
5. Compléter avec les olives noires et parsemer de basilic et d'estragon hachés.
6. Assaisonner de sel et de poivre du moulin ainsi que de quelques gouttes de vinaigre et d'un filet d'huile d'olive. Déposer les fines tranches de thon au moment de servir.

SUGGESTION DE VIN
France, Muscadet-Sèvre et Maine,
Expression de Gneiss, Domaine
de l'Ecu, 2010, Code SAQ : 10919150

6 PORTIONS
PRÉPARATION: 15 minutes
CUISSON: 5 minutes
REPOS: 1 heure

Taboulé sans semoule

D'ORIGINE LIBANAISE, LE TABOULÉ SE PRÉPARE AVEC BEAUCOUP DE PERSIL ET TRÈS PEU DE BOULGOUR (DE TYPE BRUN ET FIN). MAIS IL EXISTE AUTANT DE COMPOSITIONS DIFFÉRENTES QUE DE PAYS. LE MIEN SERA À BASE DE CHOU-FLEUR. C'EST SURPRENANT!

INGRÉDIENTS
- 1 chou-fleur
- 2 tomates bien mûres, épépinées et concassées
- 1/2 tasse (125 ml) de raisins de Corinthe
- 3 c. à soupe (45 ml) de persil haché
- 1 c. à soupe (15 ml) de menthe hachée
- 2 c. à soupe (30 ml) d'échalotes émincées
- 1 filet d'huile d'olive
- Le jus de 1 citron
- Sel et poivre du moulin

PRÉPARATION

1. Nettoyer et rincer à grande eau le chou-fleur, le diviser en morceaux et le passer au mélangeur afin d'obtenir des grains de chou-fleur identiques à des grains de semoule.

2. Dans une casserole d'eau bouillante, plonger la semoule de chou-fleur pendant 3 secondes. Retirer, égoutter, puis refroidir immédiatement.

3. Déposer la semoule dans un grand saladier avec les tomates et les raisins de Corinthe.

4. Incorporer le persil et la menthe hachés ainsi que l'échalote ciselée.

5. Parfumer avec un filet d'huile d'olive et le jus de citron et assaisonner de sel et de poivre.

6. Laisser reposer au frais environ 1 heure avant de consommer.

SUGGESTION DE VIN
France, Menetou-Salon,
E. Chavet et Fils 2011
Code SAQ : 974477

6 PORTIONS
PRÉPARATION: 20 minutes
CUISSON: 10 minutes
REPOS: 1 heure

Salade asiatique au canard et nouilles de riz

LA NOUILLE DE RIZ, AUSSI APPELÉE VERMICELLE DE RIZ, EST SURTOUT UTILISÉE POUR LES SOUPES, LES SAUTÉS ET LES SALADES. QUANT AU CANARD LAQUÉ, IL TIENT SON ORIGINE DE LA COUR IMPÉRIALE DES MING. IL EST UN SYMBOLE DE LA CUISINE CHINOISE.

INGRÉDIENTS

- 2 magrets de canard
- 1 c. à soupe (15 ml) de miel
- 1 gousse d'ail hachée
- 2 c. à soupe (30 ml) de vinaigre de riz
- Le jus de 2 limes et leurs zestes
- Sel et poivre du moulin
- 1/4 tasse (60 ml) de sauce hoisin
- 1 tasse (250 ml) de germes de soja
- 2 lb (1 kg) de nouilles de riz cuites
- 1/4 tasse (60 ml) de coriandre hachée
- 1 c. à soupe (15 ml) de ciboulette ciselée
- 1/4 tasse (60 ml) de pacanes grillées et salées

PRÉPARATION

1. Faire mariner les magrets de canard dans un récipient avec le miel, l'ail haché ainsi que le vinaigre de riz et les zestes des limes. Assaisonner et laisser reposer 1 heure au frais.
2. Saisir les magrets côté peau dans une poêle bien chaude, sans matières grasses, et les retourner. Laisser cuire 8 minutes à feu moyen. Les retirer et les émincer en fines tranches.
3. Dans cette même poêle, déglacer avec le jus de lime et verser la sauce hoisin. Retirer du feu.

4. Faire blanchir rapidement les germes de soja et les déposer dans une eau glacée afin de conserver leur croquant.
5. Dans un grand bol, incorporer aux nouilles de riz cuites le canard émincé ainsi que la sauce et les germes de soja. Assaisonner et mélanger.
6. Au dressage du plat, parsemer de coriandre hachée et de ciboulette. Ajouter les pacanes grillées.

SUGGESTION DE VIN
États-Unis, Californie
Carneros, Pinot noir, Gloria Ferrer, 2008   Code SAQ : 10354849

6 PORTIONS
PRÉPARATION: 20 minutes
CUISSON: 10 minutes

Millefeuilles de pétoncles au prosciutto sur tiges de romarin, salade de roquette et gremolata

LE PÉTONCLE EST UN FRUIT DE MER TOUT EN FINESSE ET EN DÉLICATESSE, TRÈS APPRÉCIÉ DES CUISINIERS DU MONDE ENTIER. JE VOUS LE PRÉSENTE AUJOURD'HUI EN MILLEFEUILLES.

INGRÉDIENTS
- 6 grandes tiges de romarin
- 12 gros pétoncles géants
- 6 tranches de prosciutto
- 1 gousse d'ail hachée
- 2 c. à soupe (30 ml) de persil ciselé
- Le zeste de 1 citron
- 1 filet d'huile d'olive
- Sel et poivre du moulin
- 1 lb (450 g) de roquette
- Quelques gouttes de vinaigre balsamique

PRÉPARATION

1. Tremper les tiges de romarin dans de l'eau froide afin de les utiliser comme pics à brochettes.
2. Diviser en deux les gros pétoncles ainsi que les tranches de prosciutto (dans le sens de la longueur).
3. Piquer le prosciutto sur la tige de romarin et suivre avec le pétoncle. Continuer 3 fois cette opération afin d'obtenir une belle brochette avec 4 morceaux de pétoncle et de prosciutto.

4. Faire cuire les brochettes de 2 à 3 minutes de chaque côté sur le barbecue.
5. Dans un mélangeur, déposer l'ail haché, le persil ciselé ainsi que le zeste de citron. Verser un filet d'huile d'olive et assaisonner de sel et de poivre. Mélanger cette préparation, qui sera alors liée comme une sauce.
6. Parfumer la salade de roquette de quelques gouttes de vinaigre balsamique et d'un filet d'huile d'olive.
7. Dresser les brochettes sur la salade et arroser de la sauce gremolata.

SUGGESTION DE VIN
Italie, Vénétie, Soave
Classico, Alzari Coffele, 2010
Code SAQ : 10540983

6 PORTIONS
PRÉPARATION: 25 minutes
CUISSON: 15 minutes

Saumon au chèvre frais, caramel de balsamique

POLYVALENT, LE FROMAGE DE CHÈVRE SE MANGE AUSSI BIEN CHAUD QUE FROID.
JE VOUS LE PRÉSENTE EN ACCORD AVEC LE SAUMON ET AVEC UN CARAMEL DE BALSAMIQUE.
TOUT EN DOUCEUR ET LÉGÈREMENT SUCRÉ, C'EST UN DÉLICE!

INGRÉDIENTS

- 6 filets de saumon d'environ 1/4 lb (115 g)
- Sel et poivre du moulin
- 2 c. à soupe (30 ml) de vinaigre balsamique
- 1 c. à soupe (15 ml) de miel
- 1 c. à soupe (15 ml) de ciboulette ciselée
- 1 c. à soupe (15 ml) d'estragon haché
- 1 tasse (250 ml) de fromage de chèvre frais
- 1 filet d'huile d'olive
- 2 champignons portobellos tranchés
- 1 botte d'asperges vertes
- 1 tasse (250 ml) de tomates cerises
- 1 gousse d'ail hachée
- 1/2 tasse (125 ml) de feuilles de basilic

PRÉPARATION

1. Assaisonner les filets de saumon et les déposer sur une plaque à cuisson. Dans un petit bol, mélanger le vinaigre balsamique au miel et badigeonner les filets.

2. Incorporer la ciboulette et l'estragon au fromage de chèvre, verser un filet d'huile d'olive et assaisonner. Bien mélanger.

3. Étaler la préparation fromagère sur les surfaces de chaque filet de saumon.

4. Sur une planche en bois spéciale pour le barbecue (ou directement sur la grille), faire cuire le saumon de 12 à 15 minutes. Attendre que le chèvre soit gratiné.

5. Dans une poêle, faire revenir les tranches de portobellos. Y incorporer les asperges préalablement blanchies. Ajouter les tomates cerises ainsi que l'ail haché et assaisonner.

6. Au moment de servir, parsemer le plat avec quelques feuilles de basilic.

SUGGESTION DE VIN
Autriche, Kamptal, Grüner Veltliner
Gobelsburger, Schloss Gobelsburg,
2011   Code SAQ : 10790317

6 PORTIONS
PRÉPARATION: 15 minutes
CUISSON: 25 minutes
MARINAGE: 30 minutes

Poitrines de poulet grillées au citron et cuites au foin

JE VOUS PROPOSE D'ESSAYER UN NOUVEAU MODE DE PRÉPARATION : LA CUISSON AU FOIN. GARANT DE TENDRETÉ ET DE SAVEUR, LE FOIN APPORTE UN GOÛT UNIQUE À LA VOLAILLE ET PRODUIT UN EFFET SPECTACULAIRE EN CUISINE!

INGRÉDIENTS

- Le jus et le zeste de 3 citrons
- 6 c. à soupe (90 ml) de sucre
- 1 filet d'huile d'olive
- Sel et poivre du moulin
- 6 poitrines de poulet
- 2,2 lb (1 kg) de foin fermier

PRÉPARATION

1. Dans un bol à mélanger, verser le jus des citrons ainsi que leur zeste et le sucre.
2. Déposer le tout dans une casserole et porter à ébullition. Arrêter la cuisson lorsque la sauce commence à épaissir.
3. Laisser reposer au frais en y incorporant un filet d'huile d'olive et assaisonner de sel et de poivre.
4. Faire mariner les poitrines de poulet dans cette préparation pendant environ 30 minutes.

5. Cuire les poitrines de chaque côté de 3 à 5 minutes au barbecue.
6. Dans un sautoir directement posé sur le barbecue, installer le foin et déposer les poitrines par-dessus. Fermer le couvercle et laisser cuire 10 minutes afin que le foin dégage tout son arôme.
7. Servir ce plat tout simple à réaliser et bien parfumé lors d'une épluchette de blé d'Inde.

SUGGESTION DE VIN
France, Saumur, Clos de Guichaux,
Domaine Guiberteau, 2010
Code SAQ : 11461099

Lapin du Québec à la bière blanche

RAREMENT UTILISÉ EN CUISINE, LE LAPIN GAGNE POURTANT À ÊTRE CONNU. COMME C'EST UNE VIANDE MAIGRE, JE VOUS CONSEILLE DE LA FAIRE MARINER OU DE L'ARROSER PENDANT LA CUISSON.

INGRÉDIENTS

- 3 c. à soupe (45 ml) de moutarde
- 3 c. à soupe (45 ml) de sirop d'érable
- 2 branches de thym
- 3 gousses d'ail hachées
- 1 lapin coupé en morceaux
- Sel et poivre du moulin
- 2 canettes de bière blanche de 330 ml
- 1 gros oignon jaune émincé
- 1 filet d'huile d'olive
- 2 tasses (500 ml) de champignons café coupés en 4
- 3 tasses (750 ml) de pommes de terre grelots, cuites
- 1 noix de beurre

PRÉPARATION

1. Déposer dans un grand bol la moutarde, le sirop d'érable, le thym et l'ail haché, et remuer.
2. Incorporer les morceaux de viande et bien les napper de cette préparation. Assaisonner de sel et de poivre et verser la première canette de bière blanche. Faire mariner le lapin 1 heure au frais.
3. Dans un sautoir, faire colorer l'oignon jaune émincé avec un filet d'huile d'olive. Incorporer les champignons et les faire cuire.
4. Ajouter les pommes de terre et verser la deuxième canette de bière. Assaisonner.

Terminer avec une belle noisette de beurre et laisser mijoter jusqu'à évaporation complète de la bière.
5. Déposer sur le barbecue les morceaux de lapin sur un feu vif pour les faire colorer, puis cuire à feu moyen de 15 à 20 minutes.
6. Servir avec les pommes de terre.

SUGGESTION DE BIÈRE
France
Blanche du Mont Blanc
Code SAQ : 11113431

6 PORTIONS
PRÉPARATION: 15 minutes
REPOS: 30 minutes

Tartare de flétan, pommes vertes et fines herbes

DE PAR SA GRANDE TAILLE, LE FLÉTAN EST TRÈS RECHERCHÉ, CAR IL PERMET DE RÉCUPÉRER DE GROS FILETS SANS ARÊTES. PRÉPARÉ EN TARTARE AVEC LES POMMES, IL OFFRE UN PLAT TOUT EN FRAÎCHEUR.

INGRÉDIENTS

- 1 filet de flétan de 1 lb (450 g)
- 2 avocats bien mûrs
- 2 pommes vertes Granny Smith
- Le jus de 1 citron
- 1 c. à soupe (15 ml) de yogourt nature
- 1/2 c. à soupe (8 ml) de vinaigre de pomme
- 1 c. à soupe (15 ml) d'aneth et d'estragon ciselé
- 1 filet d'huile d'olive
- Sel et poivre du moulin

PRÉPARATION

1. Couper le filet de flétan en petits cubes. Déposer dans un bol à mélanger et conserver au frais.

2. Couper les avocats en deux, retirer la peau et les noyaux. Couper la chair en petits cubes identiques à ceux du flétan. Réserver.

3. Rincer les pommes vertes et les couper en morceaux en conservant la peau.

4. Ajouter tous les ingrédients dans le bol à mélanger du flétan. Bien remuer et assaisonner de sel et de poivre. Mettre au frais pendant 30 minutes.

5. Servir le tartare avec quelques croûtons de pain.

SUGGESTION DE VIN
France, Chablis premier cru, Vaulignot, Louis Moreau 2010
Code SAQ : 00480285

6 PORTIONS
PRÉPARATION: 15 minutes
MARINAGE: 15 minutes

Tartare de canard du lac Brome aux canneberges et mayonnaise au wasabi

AVEC SA CHAIR FONCÉE, LA VIANDE DE CANARD PEUT RESSEMBLER À UN TARTARE DE BŒUF, MAIS ATTENTION, SON GOÛT EST DIFFÉRENT!

INGRÉDIENTS

- 2 magrets de canard d'environ 3/4 lb (350 g)
- 2 c. à soupe (30 ml) de mayonnaise
- 1 c. à thé (5 ml) de wasabi
- 1 c. à soupe (15 ml) de moutarde
- 1 filet d'huile d'olive
- Sel et poivre du moulin
- 1/3 lb (150 g) de cheddar Perron vieilli
- 1/4 tasse (60 ml) de canneberges séchées
- 1/4 tasse (60 ml) de bleuets

PRÉPARATION

1. Retirer le gras des magrets de canard et couper la viande en petits morceaux. Déposer la viande dans un bol à mélanger et conserver au frais.

2. Dans un autre bol, déposer la mayonnaise, le wasabi et la moutarde. Bien remuer et ajouter un filet d'huile d'olive. Assaisonner.

3. Couper en petits dés le cheddar Perron et l'incorporer à la viande de canard.

4. Ajouter la sauce, les canneberges et les bleuets. Conserver 15 minutes au frais avant de servir.

5. Déguster avec quelques feuilles de roquette et du vinaigre balsamique.

SUGGESTION DE VIN
Canada, Lanaudière,
Cabernet Severnyi, Carone 2008
Code SAQ : 11004488

6 PORTIONS
PRÉPARATION: 15 minutes
REPOS: 30 minutes

Tartare de légumes comme un pot-au-feu

JE VOUS PROPOSE ICI UN TARTARE VÉGÉTARIEN… À LA FAÇON POT-AU-FEU! LE POT-AU-FEU TRADITIONNEL EST UN PLAT FRANÇAIS COMPOSÉ DE BŒUF ET MIJOTÉ LONGUEMENT DANS UN BOUILLON DE LÉGUMES AVEC UN BOUQUET GARNI.

INGRÉDIENTS
- 2 carottes en dés
- 2 tomates
- 1 échalote émincées
- 1 branche de céleri émincée
- 1/2 navet en petits dés
- 2 c. à soupe (30 ml) de ricotta
- 1 c. à soupe (15 ml) de persil et de coriandre hachés
- 1 c. à soupe (15 ml) de miel
- 2 c. à soupe (30 ml) de vinaigre de vin
- 1 filet d'huile d'olive
- Sel et poivre du moulin

PRÉPARATION

1. Dans un bol à mélanger, déposer les carottes et les tomates.
2. Ajouter l'échalote, le céleri et le navet.
3. Incorporer le fromage ricotta, le persil et la coriandre hachés.
4. Dans un petit bol, déposer le miel, le vinaigre de vin et un filet d'huile d'olive. Assaisonner de sel et de poivre.

5. Mélanger tous les ingrédients et réserver la préparation au frais environ 30 minutes.
6. On peut servir le tartare dans une coupe à martini.

SUGGESTION DE VIN
France, Sancerre,
Les Baronnes, Henri Bourgeois
2008   Code SAQ : 10267841

6 PORTIONS
PRÉPARATION: 15 minutes
REPOS: 15 minutes

Tartare de mangues et fruits secs, tofu soyeux à la lime

SUR UNE NOTE PLUS FRUITÉE, VOICI UN TARTARE DE MANGUES, FRUITS SECS ET TOFU SOYEUX À LA LIMETTE. IL EXISTE DEUX TYPES DE TOFU, LE FERME ET LE SOYEUX. AMUSEZ-VOUS À LES DÉCOUVRIR!

INGRÉDIENTS
- 2 mangues bien mûres
- 1 banane coupée en petits dés
- Le jus et le zeste de 1 lime
- 1/4 tasse (60 ml) de noisettes grillées concassées
- 1/4 tasse (60 ml) de dattes fraîches hachées
- 3 c. à soupe (45 ml) de tofu soyeux
- 4 feuilles de menthe hachées

PRÉPARATION
1. Peler la peau des mangues et couper la chair en petits cubes. Déposer dans un bol avec la banane et arroser de jus de lime.
2. Incorporer les noisettes et les dattes.
3. Ajouter le tofu soyeux, le zeste de lime et la menthe.
4. Remuer la préparation et réserver 15 minutes au frais avant de déguster.

SUGGESTION DE VIN
Italie, Moscato d'Asti,
Tenute Cisa 2011
Code SAQ : 10254830

6 PORTIONS
PRÉPARATION : 10 minutes
CUISSON : 15 minutes

Blanquette de volaille à la crème de champignons

LA BLANQUETTE EST UN PLAT À BASE DE VIANDE ET DE CAROTTES AVEC UNE SAUCE AU BEURRE. AFIN DE LUI DONNER PLUS DE GOÛT, JE VOUS PROPOSE AUJOURD'HUI DE LA PRÉPARER À BASE DE CRÈME DE CHAMPIGNONS.

INGRÉDIENTS

- 3 poitrines de volaille émincées
- 1 filet d'huile d'olive
- 1/2 oignon émincé
- 2 tasses (500 ml) de champignons de Paris
- 1 c. à soupe (15 ml) de beurre
- 1 tasse (250 ml) de crème 15 %
- Le jus de 1 citron
- Sel et poivre du moulin
- 1 c. à soupe (15 ml) de persil haché

PRÉPARATION

1. Dans une poêle bien chaude, faire revenir les poitrines de volaille dans l'huile jusqu'à coloration. Les retirer et ajouter l'oignon et les champignons de Paris coupés en quartiers. Faire revenir les légumes dans la noisette de beurre.

2. Incorporer la volaille et verser la crème. Laisser mijoter 5 minutes. Arroser du jus de citron et assaisonner de sel et de poivre.

3. Au moment de servir, parsemer de persil haché. Servir avec des tagliatelles ou du riz.

6 PORTIONS
PRÉPARATION: 10 minutes
CUISSON: 10 minutes

Crevettes façon thaï et caramel de citronnade

IL EXISTE PLUSIEURS VARIÉTÉS DE CREVETTES, NOTAMMENT LA GÉANTE TIGRÉE, LA NORDIQUE, LA ROUGE ET LA GRISE. IL EST IMPORTANT DE NE PAS TROP CUIRE LES CREVETTES, SINON ELLES SERONT CORIACES.

INGRÉDIENTS

- 2,2 lb (1 kg) de crevettes décortiquées
- 2 gousses d'ail hachées
- 1 filet d'huile d'olive
- 2 c. à soupe (30 ml) de miel
- 2 c. à soupe (30 ml) de vinaigre de vin
- Le jus de 2 citrons
- 1 c. à soupe (15 ml) de beurre
- 1 tasse (250 ml) de lait de coco
- Le zeste de 1 lime
- 2 c. à soupe (30 ml) de coriandre ciselée
- Sel et poivre du moulin

PRÉPARATION

1. Dans une poêle, faire revenir les crevettes et l'ail haché dans l'huile d'olive.
2. À coloration, incorporer le miel et déglacer avec le vinaigre de vin et le jus de citron. Ajouter la noisette de beurre.
3. Remuer et arroser la préparation avec le lait de coco.
4. Laisser mijoter à feu moyen et incorporer le zeste de lime et la coriandre ciselée. Assaisonner. Servir bien chaud avec des nouilles de riz.

SUGGESTION DE VIN
Autriche, Kamptal, Riesling Gobelsburger, Schloss Gobelsburg, 2011 Code SAQ : 10790309

6 PORTIONS
PRÉPARATION : 10 minutes
CUISSON : 10 minutes

Bœuf sauté aux échalotes et sauce hoisin

PEU CONNUE COMPARATIVEMENT À SA SŒUR, LA SAUCE SOYA, LA SAUCE HOISIN EST TRÈS UTILISÉE DANS LA CUISINE DE LA CHINE DU SUD ET DANS LE SUD-EST ASIATIQUE. MÊME SI *HOISIN* SIGNIFIE *FRUIT DE MER*, IL N'Y EN A AUCUN DANS SA PRÉPARATION !

INGRÉDIENTS

- 1 3/4 lb (750 g) de bifteck de surlonge coupé en lanières
- 1 filet d'huile d'olive
- 2 gousses d'ail hachées
- 4 échalotes émincées
- 1/2 brocoli découpé en morceaux
- 1 carotte coupée en rondelles
- 1 poivron rouge et 1 poivron vert coupés en lanières
- 1 tasse (250 ml) d'épinards
- 1 pincée de gingembre en poudre
- Sel et poivre du moulin
- 1/4 tasse (60 ml) de sauce hoisin
- 1 tasse (250 ml) de bouillon de bœuf

PRÉPARATION

1. Dans une poêle, faire revenir les lanières de bœuf avec un filet d'huile d'olive et l'ail haché. Les retirer à mi-cuisson.

2. Dans la même poêle, faire revenir les échalotes, le brocoli et les rondelles de carottes.

3. Incorporer les poivrons en lanières et faire revenir les légumes. Terminer avec les épinards.

4. Ajouter la viande, le gingembre et assaisonner.

5. Verser la sauce hoisin, mélanger et ajouter le bouillon de bœuf.

6. Laisser mijoter 5 minutes avant de servir bien chaud.

SUGGESTION DE VIN
Côtes du Rhône, Gigondas, Domaine de Piaugier, 2008
Code SAQ : 10783619

6 PORTIONS
PRÉPARATION : 10 minutes
CUISSON : 5 minutes

Calamars en croûte de parmesan

LORSQUE VOUS PRÉPAREZ DES CALAMARS, IL EST IMPORTANT DE BIEN LES NETTOYER, EN LES PASSANT À GRANDE EAU, PUIS DE LES ÉGOUTTER ET DE LES ÉPONGER. VOUS POUVEZ LES COUPER EN LANIÈRES, EN LONGUEUR OU EN RONDELLES.

INGRÉDIENTS
- 3 tubes de calamars entiers
- 2 tasses (500 ml) de lait
- 1 tasse (250 ml) de farine
- 1 tasse (250 ml) de parmesan en poudre
- Sel et poivre du moulin
- 4 tasses (1 litre) d'huile végétale pour la friture
- 2 citrons

PRÉPARATION
1. Rincer et couper les calamars en rondelles. Les déposer dans un grand bol et verser le lait.
2. Dans un autre bol, mélanger la farine avec le parmesan et assaisonner de sel et de poivre.
3. Égoutter les rondelles de calamars et les enrober de farine au parmesan.
4. Dans un bain d'huile bien chaude, faire frire les calamars jusqu'à coloration.
5. Les retirer et les égoutter sur un papier absorbant.
6. Servir bien chaud accompagné de quelques tranches de citron.

SUGGESTION DE VIN
Italie, Piémont, Langhe
Chardonnay, Batasiolo, 2010
Code SAQ : 327064

4 À 6 PORTIONS
PRÉPARATION: 20 minutes
CUISSON: 15 minutes

Cromesquis fondants au Migneron

FROMAGE À PÂTE DEMI-FERME, LE MIGNERON FAIT LA FIERTÉ DE LA RÉGION DE CHARLEVOIX. EN VERSION CROMESQUIS, IL S'AGIT D'UNE IDÉE PARFAITE POUR VOS VINS ET FROMAGES.

INGRÉDIENTS
- 1/2 tasse (125 ml) de beurre
- 3/4 tasse (180 ml) de farine
- 2 1/2 tasses (625 ml) de lait
- Sel et poivre du moulin
- 1 jaune d'œuf
- 1 tasse (250 ml) de fromage Migneron râpé
- 2 œufs entiers
- 2 tasses (500 ml) de chapelure de pain ou Panko
- 1 bain d'huile végétale

PRÉPARATION

1. Dans une casserole, déposer le beurre et le faire fondre. Incorporer la farine.

2. Verser le lait en filet et bien mélanger à l'aide d'un fouet. Saler et poivrer.

3. Incorporer le jaune d'œuf à la préparation ainsi que le fromage râpé. Remuer pour obtenir un résultat homogène.

4. Retirer la préparation du feu et laisser reposer à la température ambiante.

5. À l'aide d'une poche à pâtisserie, confectionner de petits boudins. Les badigeonner d'œufs entiers battus et les enrouler dans la chapelure. Faire cuire dans un bain d'huile végétale bien chaud.

SUGGESTION DE VIN
Canada, Québec, L'Orpailleur, Vignoble de L'Orpailleur 2011
Code SAQ : 704221

4 À 6 PORTIONS
PRÉPARATION: 20 minutes
REPOS: 20 minutes

Miniraclettes

PLAT ORIGINAIRE DE LA SUISSE, LA RACLETTE FAIT LE BONHEUR DES AMATEURS DE FROMAGES.
EN FORMAT MINI, ELLE AURA UN SUCCÈS ASSURÉ LORS DE VOS SOIRÉES!

INGRÉDIENTS

- 2 tasses (500 ml) de pommes de terre moyennes
- 1 morceau de 1/2 lb (225 g) de gruyère
- 1/4 lb (115 g) de copeaux de viande séchée
- Sel et poivre du moulin

PRÉPARATION

1. Faire cuire les pommes de terre avec leur peau dans une casserole d'eau bouillante.
2. Une fois cuites, les retirer et les couper en tranches de 1 cm d'épaisseur. Les placer sur une plaque à cuisson.
3. Trancher finement le gruyère. Déposer sur chaque pomme de terre une tranche de fromage.

Étendre des copeaux de viande séchée sur le fromage et terminer avec une autre tranche de gruyère.
4. Dans un four préchauffé à 350 °F (175 °C), faire cuire les miniraclettes jusqu'à coloration du fromage.
5. Assaisonner à la sortie du four et déguster bien chaud.

SUGGESTION DE VIN
France, Savoie, Vin de Savoie,
Château de Ripaille 2011
Code SAQ : 896720

4 À 6 PORTIONS
PRÉPARATION: 20 minutes
CUISSON: 10 minutes

Burgers bleu raisin et parmesan

DE PLUS EN PLUS APPRÉCIÉ, LE FROMAGE BLEU SE DÉFINIT PAR SA SAVEUR DE CHAMPIGNON ET DE CRÈME. VOICI LA BOUCHÉE PARFAITE POUR LES 5 À 7, ET ENCORE MEILLEURE POUR LES VINS ET FROMAGES!

INGRÉDIENTS

- 1/2 tasse (125 ml) de fromage bleu
- 1 c. à soupe (15 ml) de beurre
- 1 c. à soupe (15 ml) de ciboulette ciselée
- 1 tasse (250 ml) de parmesan en poudre
- 1/3 tasse (85 ml) de raisins

PRÉPARATION

1. Dans un bol, déposer le fromage bleu et le beurre. Écraser le tout à l'aide d'une fourchette.

2. Incorporer la ciboulette et bien mélanger. Confectionner avec les mains de petites boules de fromage et conserver à température ambiante.

3. Dans une poêle antiadhésive bien chaude, déposer avec une cuillère à soupe le parmesan en poudre pour faire de petits disques.

4. Trancher en rondelles les raisins.

5. Déposer sur les disques de parmesan croustillant une boule de fromage bleu avec des tranches de raisins. Refermer avec un autre disque de parmesan pour former les burgers.

SUGGESTION DE VIN
France, Pacherenc du Vic-Bilh, Rêve d'Automne, Château Laffitte-Teston 2010   Code SAQ : 10779855

Madeleines au fromage de chèvre

JE REVISITE ICI LA CÉLÈBRE MADELEINE, POPULARISÉE AUX ENVIRONS DE 1845, EN VERSION SALÉE.
ELLE S'ACCORDERA À MERVEILLE À VOS VINS ET FROMAGES GRÂCE À SES ARÔMES D'AIL ET DE BASILIC.

INGRÉDIENTS
- 1 tasse (250 ml) de farine
- 1 1/2 c. à soupe (8 ml) de poudre à pâte
- 3 œufs
- 3/4 tasse (180 ml) de lait
- 3/4 de tasse (180 ml) de chèvre frais
- 1 c. à soupe (15 ml) de basilic haché
- 1/4 tasse (60 ml) d'huile d'olive
- 1 gousse d'ail haché
- Sel et poivre du moulin

PRÉPARATION
1. Dans un bol, déposer la farine et la poudre à pâte. Bien remuer.
2. Dans un deuxième bol, verser les œufs et le lait. Battre et assaisonner.
3. Incorporer le chèvre frais ainsi que le basilic et l'huile d'olive.
4. Remuer le tout. Terminer avec l'ail haché.
5. Mélanger l'ensemble des préparations pour obtenir un résultat homogène.
6. Remplir des minimoules à madeleine du mélange. Cuire de 15 à 20 minutes dans un four préchauffé à 350 °F (175 °C).

SUGGESTION DE VIN
France, Menetou-Salon, Morogues, Domaine Henry Pellé 2011
Code SAQ : 852434

Papillotes de volaille au cari

LE CARI EXISTE EN POUDRE OU EN PÂTE. ON LE TROUVE DOUX OU PIMENTÉ.
IL EST TRÈS RÉPANDU DANS LA CUISINE INDIENNE.

INGRÉDIENTS
- 1 filet d'huile d'olive
- 4 à 6 poitrines
  de volaille
- Sel et poivre du moulin
- 1 1/2 c. à thé (7,5 ml)
  de cari doux
- 1/3 tasse (80 ml)
  de vin blanc
- 1 tasse (250 ml) d'eau
- 4 à 6 carottes en rondelles
- Papier de cuisson
  pour papillotes

PRÉPARATION

1. Verser un filet d'huile d'olive dans une poêle. Déposer les poitrines de volaille préalablement assaisonnées de sel et de poivre. Faire colorer de chaque côté.
2. À coloration, saupoudrer la viande de cari doux et déglacer avec le vin blanc. Laisser mijoter cinq minutes à petit feu en retournant la viande.
3. Retirer la viande de la poêle et déglacer avec la tasse d'eau. Amener à ébullition.

4. Faire cuire les carottes coupées en rondelles dans une casserole d'eau bouillante. Les répartir également sur les feuilles de papier de cuisson.
5. Trancher les poitrines de volaille et les déposer sur les carottes. Verser la réduction de cuisson de la poêle et refermer les papillotes.
6. Cuire au four environ 20 minutes à 300 °F (150 °C).

SUGGESTION DE VIN
France, Côtes du Roussillon Villages,
Château Les Pins 2009
Code SAQ : 864546

4 À 6 PORTIONS
PRÉPARATION: 20 minutes
REPOS: 15 minutes

Papillotes de mahi-mahi en julienne de légumes

CE POISSON S'ACCORDE À MERVEILLE AVEC LES AGRUMES.
SA SAVEUR RESSORT DAVANTAGE S'IL EST CUIT EN PAPILLOTE.

INGRÉDIENTS

- 1 tasse (250 ml) de carottes en julienne
- 1 tasse (250 ml) de poivrons rouges en julienne
- 1 tasse (250 ml) de poireaux en julienne
- 1 filet d'huile d'olive
- 1/4 tasse (60 ml) de vinaigre de vin
- 1/3 tasse (80 ml) de jus d'orange
- 1/4 tasse (60 ml) de jus de citron
- 4 à 6 feuilles de papier aluminium
- 4 à 6 portions de mahi-mahi
- Sel et poivre du moulin
- Quelques feuilles de coriandre

PRÉPARATION

1. Dans une grande poêle, déposer les légumes en julienne. Verser un filet d'huile d'olive et faire revenir à petit feu. Assaisonner.

2. Avant la coloration, déglacer avec le vinaigre de vin. Remuer et ajouter les jus d'orange et de citron. Laisser cuire doucement.

3. Placer une portion de légumes au centre des feuilles de papier aluminium et déposer le filet de mahi-mahi.

4. Verser un filet d'huile d'olive sur le poisson et assaisonner.

5. Ajouter quelques feuilles de coriandre fraîche.

6. Refermer les papillotes et cuire au four 15 minutes à 350 °F (175 °C) ou directement sur le barbecue.

SUGGESTION DE VIN
France, Pacherenc de Vic Bilh,
Château Montus 2008
Code SAQ : 11017625

Papillotes de morue façon pistou

CONTRAIREMENT À SON HOMOLOGUE ITALIEN «PESTO», LE PISTOU EST ORIGINAIRE DE PROVENCE. IL NE COMPORTE NI NOIX DE PIN NI FROMAGE.

INGRÉDIENTS

- 5 gousses d'ail hachées
- 1 tasse (250 ml) de basilic frais
- 1/2 tasse (125 ml) d'huile d'olive
- 1/4 tasse (60 ml) de courgette en dés
- 1/4 tasse (60 ml) de poivron rouge en dés
- 1/4 tasse (60 ml) de céleri en dés
- 1/4 tasse (60 ml) de tomate en dés
- 1/4 tasse (60 ml) de carotte en dés
- 2/3 tasse (160 ml) de pois chiches
- 1 c. à soupe (15 ml) de pâte de tomate
- 1/3 tasse (80 ml) de vin blanc
- Eau
- Papier de cuisson transparent pour papillotes
- Sel et poivre du moulin
- 4 à 6 filets de morue d'environ 130 g chacun

PRÉPARATION

1. Dans un mortier ou un petit mélangeur, déposer les gousses d'ail, le basilic et l'huile d'olive. Assaisonner et mixer le tout en purée afin de réaliser le pistou.

2. Mettre les légumes ainsi que les pois chiches dans un poêlon avec un filet d'huile d'olive. Faire revenir à feu doux.

3. Ajouter la pâte de tomate. Remuer et déglacer avec le vin blanc. Verser un volume d'eau pour recouvrir jusqu'à hauteur des légumes.

4. Ajouter le pistou. Laisser mijoter cinq minutes.

5. Placer le papier de cuisson au fond de petits bols. Verser une portion de légumes et de bouillon, puis ajouter les filets de morue préalablement assaisonnés.

6. Refermer les papillotes avec une ficelle et cuire 20 minutes dans un four à 350 °F (175 °C).

SUGGESTION DE VIN
France, Saint-Chinian, Les Fiefs d'Aupenac 2011
Code SAQ : 10559174

4 À 6 PORTIONS
PRÉPARATION: 25 minutes
REPOS: 20 minutes

Papillotes d'ananas au rhum et aux raisins

UN DESSERT POLYVALENT AU GRÉ DES SAISONS. AJOUTEZ-Y DE LA CRÈME GLACÉE
AU MOMENT DE SERVIR, C'EST EXQUIS!

INGRÉDIENTS

- 1/2 tasse (125 ml) de sucre
- 1 tasse (250 ml) d'eau
- 1/2 tasse (125 ml) de rhum
- 3 c. à soupe (45 ml) de raisins secs
- 1 ananas en tranches
- Quelques feuilles de papier à cuisson

PRÉPARATION

1. Dans une casserole, déposer le sucre et verser l'eau. Porter à ébullition et retirer aussitôt.

2. Une fois le sirop à température ambiante, y incorporer le rhum ainsi que les raisins.

3. Dans un bol, déposer les tranches d'ananas et verser le sirop. Laisser macérer de 10 à 15 minutes.

4. Confectionner des papillotes à l'aide du papier à cuisson. Mettre dans chacune d'elles une portion de fruits et de sirop. Refermez-les comme des enveloppes.

5. Faire cuire 20 minutes dans un four préchauffé à 300 °F (150 °C).

SUGGESTION DE VIN
France, Muscat de Rivesaltes, Dom Brial 2011
Code SAQ : 892455

Le *comfort food* chez soi!

Mes recettes gourmandes

AUTOMNALES

Petit clafoutis aux olives pour apéritif

LE CLAFOUTIS AUX CERISES EST ORIGINAIRE DE LA RÉGION DU LIMOUSIN. JE VOUS SUGGÈRE AUJOURD'HUI DE LE PRÉPARER EN APÉRITIF, COMME UN CAKE SALÉ, AVEC DES OLIVES. PARFAIT POUR LES 5 À 7!

INGRÉDIENTS
- 2 1/2 lb (300 g) de farine
- Sel et poivre du moulin
- 5 œufs
- 1/4 tasse (60 ml) d'huile d'olive
- 1/4 tasse (60 ml) de vin blanc
- 1 tasse (250 ml) d'olives concassées
- 1 tasse (250 ml) de gruyère râpé
- 1 c. à thé (5 ml) de poudre à pâte

PRÉPARATION

1. Préchauffer le four à 350 °F (175 °C).

2. Dans un bol, déposer la farine, le sel et le poivre, et remuer en incorporant les œufs; un à la fois.

3. Verser l'huile d'olive et le vin blanc.

4. Ajouter les olives, le gruyère et la poudre à pâte.

5. Faire cuire 40 minutes dans de mini moules à cake.

SUGGESTION DE VIN
France, Moulin-à-Vent, Terres Dorées, Jean-Paul Brun 2010
Code SAQ : 10837331

6 PORTIONS
PRÉPARATION : 15 minutes
CUISSON : 40 minutes

Cake façon pain de viande, sans viande

PARFOIS MAL AIMÉ DE LA CUISINE QUÉBÉCOISE, LE PAIN DE VIANDE GAGNE POURTANT À ÊTRE REDÉCOUVERT. SIMPLE À PRÉPARER, VOICI UN PAIN DE VIANDE… SANS VIANDE !

INGRÉDIENTS

- 2/3 tasse (160 ml) de haricots rouges cuits, en conserve
- 2/3 tasse (160 ml) de pois chiches cuits, en conserve
- 2/3 tasse (160 ml) de lentilles cuites, en conserve
- 3 échalotes émincées
- 3 gousses d'ail hachées
- 2 c. à soupe (30 ml) de basilic et de persil haché
- 4 œufs
- 1/2 tasse (125 ml) de tofu ferme coupé en dés
- 1 tasse (250 ml) de gruyère râpé
- 1 c. à thé (5 ml) de poudre à pâte
- 1 tasse (250 ml) de flocons d'avoine
- Sel et poivre du moulin
- Quelques gouttes de tabasco

PRÉPARATION

1. Préchauffer le four à 350 °F (175 °C).

2. Écraser les légumineuses à l'aide d'une fourchette et les déposer dans un grand bol à mélanger.

3. Dans une poêle, faire revenir les échalotes ciselées avec un filet d'huile d'olive. Déposer dans la préparation aux légumineuses avec l'ail et les fines herbes hachées.

4. Battre les œufs et les ajouter au mélange. Incorporer le tofu et le gruyère.

5. Verser la poudre à pâte et remuer.

6. Terminer avec les flocons d'avoine et assaisonner de sel et poivre.

7. Parfumer au goût avec quelques gouttes de tabasco.

8. Faire cuire le cake dans un moule pendant 35 minutes.

SUGGESTION DE VIN
France, Crozes-Hermitage, Cave de Tain 2010
Code SAQ : 10678237

6 PORTIONS
PRÉPARATION : 10 minutes
CUISSON : 45 minutes

Cake citron et pavot

DU CÔTÉ SUCRÉ, VOICI UN CAKE CITRON ET PAVOT. NOUS CONNAISSONS BIEN LE CITRON ET SON UTILISATION, MAIS LES GRAINES DE PAVOT SONT MOINS RÉPANDUES. UN DESSERT LÉGER ET TOUT EN FRAÎCHEUR!

INGRÉDIENTS

- 1 tasse (250 ml) de sucre
- 1 tasse (250 ml) de beurre
- 4 œufs
- 1 tasse (250 ml) de farine
- 1 c. à thé (5 ml) de poudre à pâte
- 2 c. à soupe (30 ml) de graines de pavot
- Zeste de 3 citrons

PRÉPARATION

1. Préchauffer le four à 350 °F (175 °C).
2. Dans un bol, déposer le sucre ainsi que le beurre à température ambiante. Battre avec un fouet.
3. Incorporer les œufs un à la fois et ajouter la farine délicatement.

4. Ajouter la poudre à pâte, les graines de pavot ainsi que le zeste des citrons.
5. Bien mélanger pour obtenir une préparation homogène.
6. Faire cuire pendant 45 minutes dans un moule à cake préalablement beurré.

SUGGESTION DE VIN
Canada, Vallée de l'Okanagan, Chenin blanc, Quail's Gate 2011
Code SAQ : 11262920

6 PORTIONS
PRÉPARATION : 10 minutes
CUISSON : 40 minutes

Cake choco-fondant

POUR TERMINER EN GRAND, UN CAKE CHOCO-FONDANT! LE CACAO ET LE CHOCOLAT NOIR AURAIENT DES EFFETS BÉNÉFIQUES SUR LE SYSTÈME CIRCULATOIRE ET AIDERAIENT À PRÉVENIR LA TOUX. ALORS, RÉGALEZ-VOUS!

INGRÉDIENTS
- 4 œufs
- 1/2 tasse (100 g) de sucre
- 3/4 tasse (150 g) de chocolat noir
- 1/2 tasse (100 g) de beurre
- 2 c. à soupe (30 ml) de farine
- 1 pincée de sel

PRÉPARATION

1. Préchauffer le four à 350 °F (175 °C).

2. Dans un bol, déposer les œufs et le sucre. Mélanger énergiquement à l'aide d'un fouet.

3. Faire fondre le chocolat et le beurre dans une casserole à feu doux. Ajouter au mélange d'œufs.

4. Incorporer la farine ainsi que le sel et bien remuer.

5. Beurrer 6 ramequins et les remplir aux 3/4 de leur hauteur.

6. Faire cuire 10 minutes au maximum. Démouler et servir chaud.

6 PORTIONS
PRÉPARATION : 15 minutes
CUISSON : 30 minutes
REPOS : 30 minutes

Salade de coeurs de palmier, pois gourmands et tomates cerises

ALIMENT VEDETTE D'UNE SAINE ALIMENTATION, LE CŒUR DE PALMIER EST IDÉAL POUR VOS BOÎTES À LUNCH! FAIBLE EN GRAS, RICHE EN PROTÉINES ET EN MINÉRAUX, LE VOICI EN SALADE FRAÎCHEUR.

INGRÉDIENTS

- 1 tasse (250 ml) de tomates cerises
- 2 tasses (500 ml) de pois mange-tout
- 1 tasse (250 ml) de cœurs de palmier coupés en rondelles
- 1 filet d'huile d'olive
- Quelques gouttes de vinaigre de xérès
- Sel et poivre du moulin

PRÉPARATION

1. Rincer à grande eau les légumes et les égoutter. Dans un bol, verser l'huile, le vinaigre, le sel et le poivre.
2. Incorporer les cœurs de palmier, les tomates cerises entières et les pois mange-tout.
3. Mélanger la salade et conserver au frais 30 minutes avant de servir.
4. Une fois assaisonnée, cette salade peut se conserver 1 semaine au réfrigérateur.

SUGGESTION DE VIN
Grèce, VDP Cyclades, Atlantis, Domaine Argyros 2011
Code SAQ : 11097477

6 PORTIONS
PRÉPARATION : 25 minutes
CUISSON : 5 minutes

Wrap à la rillette de saumon et julienne de concombre

VOICI UNE VERSION PLUS CHIC DU TRADITIONNEL SANDWICH DE BOÎTE À LUNCH.
À BASE DE RILLETTE DE SAUMON ET DE CONCOMBRE, IL EST FRAIS ET CRAQUANT !

INGRÉDIENTS

- 1 filet de saumon d'environ 2/3 lb (300 g)
- L'écorce de 1 citron
- 1/4 tasse (65 ml) de mayonnaise
- Le jus de 1 citron
- Quelques gouttes de vinaigre de vin
- 1 c. à soupe (15 ml) de cornichons hachés
- 1 c. à soupe (15 ml) de ciboulette hachée
- Sel et poivre du moulin
- 1 concombre
- 6 pains à wrap

PRÉPARATION

1. Faire pocher le filet de saumon 5 minutes dans une casserole d'eau bouillante avec l'écorce du citron.

2. Le retirer et écraser la chair avec une fourchette.

3. Déposer les miettes de saumon dans un mixeur. Incorporer la mayonnaise, le jus de citron et quelques gouttes de vinaigre.

4. Mixer doucement afin d'obtenir une préparation homogène. Ajouter les cornichons et la ciboulette. Assaisonner de sel et de poivre.

5. Couper le concombre dans le sens de la longueur en fine julienne.

6. Étaler sur chaque wrap la rillette de saumon, compléter avec le concombre et enrouler.

SUGGESTION DE VIN
Portugal, Vinho Verde, Alvarinho, Deu La Deu, Adega Regional de Monçao 2011   Code SAQ : 927996

43

6 PORTIONS
PRÉPARATION : 15 minutes
CUISSON : 20 minutes

Jambonnette de volaille au chèvre et prosciutto, jardinière de légumes

LA JAMBONNETTE EST EN FAIT UN PLAT DE VOLAILLE ROULÉE, FARCIE D'UNE GARNITURE AU CHOIX.
REPAS IDÉAL POUR CEUX ET CELLES QUI PRÉFÈRENT UN MENU PLUS SOUTENANT !

INGRÉDIENTS

- 3/4 tasse (180 ml) de fromage de chèvre frais
- 6 cuisses de poulet désossées
- 3 tranches de prosciutto
- 1 filet d'huile d'olive
- 1 tasse (250 ml) de pommes de terre coupées en cubes et blanchies
- 1 tasse (250 ml) de rondelles de carottes blanchies
- 1 tasse (250 ml) de petits pois blanchis
- Sel et poivre du moulin
- 1/2 oignon haché

PRÉPARATION

1. Dans un bol, déposer le fromage de chèvre. Verser un filet d'huile d'olive et remuer.

2. Ouvrir les cuisses de poulet et les farcir de la préparation au chèvre.

3. Diviser les tranches de prosciutto dans le sens de la longueur et les utiliser pour enrouler chacune des cuisses de poulet.

4. Utiliser des cure-dents pour renforcer les jambonnettes.

5. Les faire revenir dans une poêle avec un filet d'huile d'olive et terminer la cuisson au four 15 minutes à 350 °F (175 °C).

6. Faire revenir les légumes dans un poêlon avec l'oignon ciselé et servir avec les jambonnettes.

SUGGESTION DE VIN
Italie, Frioul, Collio Friulano,
Schiopetto 2009
Code SAQ : 11450066

PORTIONS : selon la grosseur
de biscuit désirée
PRÉPARATION : 5 minutes
CUISSON : 8-12 minutes

UNE BOÎTE À LUNCH GOURMANDE

Biscuits au chocolat blanc et noix de macadam

LA NOIX DE MACADAM EST CONSOMMÉE DEPUIS ENVIRON 5 000 ANS, MAIS CE SONT LES HAWAIIENS QUI L'ONT POPULARISÉE AU 20^E SIÈCLE. CETTE AMANDE A UN GOÛT TRÈS FIN.

INGRÉDIENTS

- 1/2 tasse (125 ml) de beurre
- 1/2 tasse (125 ml) de sucre
- 2 œufs
- 1 c. à thé (5 ml) d'extrait de vanille
- 1 tasse (250 ml) de farine
- 1 c. à thé (5 ml) de poudre à pâte
- 1 tasse (250 ml) de brisures de chocolat blanc
- 3/4 tasse (180 ml) de noix de macadam grossièrement concassées

PRÉPARATION

1. Préchauffer le four à 350 °F (175 °C).

2. Battre le beurre avec le sucre. Incorporer les œufs et la vanille, et bien remuer.

3. Ajouter la farine ainsi que la poudre à pâte.

4. Incorporer les brisures de chocolat blanc et les noix de macadam.

5. Déposer le mélange par portions d'environ 1 c. à soupe sur une plaque à pâtisserie antiadhésive.

6. Faire cuire au four de 8 à 12 minutes.

SUGGESTION DE VIN
Italie, Piémont, Nivole Moscato d'Asti, Michele Chiarlo 2011
Code SAQ : 979062

Compote banane-mangue au rhum et à la gousse de vanille

LA COMPOTE SE CUISINE DEPUIS LE 17^E SIÈCLE EN FRANCE, MAIS ELLE A BIEN ÉVOLUÉ DEPUIS! JE VOUS LA PRÉPARE DANS UNE VERSION PLUS EXOTIQUE, AUX ARÔMES DE RHUM ET DE VANILLE.

INGRÉDIENTS
- Le jus de 1 citron
- 3 bananes coupées en dés
- 2 mangues bien mûres coupées en dés
- 1/4 tasse (60 ml) de sucre
- 1/4 tasse (60 ml) de rhum
- 1 gousse de vanille fendue en deux

PRÉPARATION
1. Verser le jus de citron sur les bananes.
2. Dans une casserole, déposer les mangues avec le sucre et le rhum et couvrir d'eau à la hauteur des fruits. Incorporer la gousse de vanille.

3. Porter à ébullition et laisser mijoter doucement.
4. Ajouter les bananes et faire réduire afin d'obtenir une compote homogène.
5. Retirer la gousse de vanille et conserver la compote au frais jusqu'au moment de servir.

À BOIRE
États-Unis, Rhum épicé,
Sailor Jerry
Code SAQ : 11315083

6 PORTIONS
PRÉPARATION : 10 minutes
CUISSON : 40 minutes

Marmelade d'orange, de pamplemousse et d'amandes grillées

CE QUI DIFFÉRENCIE LA MARMELADE DE LA CONFITURE, C'EST QU'ELLE EST COMPOSÉE D'AGRUMES ET QUE L'ON RETROUVE DE GROS MORCEAUX DE FRUITS DANS LA PRÉPARATION.

INGRÉDIENTS

- 1 orange à peau épaisse
- 1 pamplemousse à peau épaisse
- 1 1/2 tasse (375 ml) d'eau
- 1 tasse (250 ml) de sucre
- 1/2 tige de vanille
- 1/4 tasse (60 ml) d'amandes grillées entières

PRÉPARATION

1. Laver à grande eau l'orange et le pamplemousse. Peler les deux fruits et conserver leur peau.
2. Dans une casserole d'eau bouillante, faire blanchir pendant 5 minutes les écorces de fruits. Égoutter.
3. Dans un bol à mélanger, déposer la chair de l'orange et du pamplemousse ainsi que l'eau et le sucre. Mélanger.

4. Verser la préparation dans une casserole avec la vanille et porter à ébullition.
5. Hacher la peau des fruits et les incorporer au mélange de chair.
6. Quand la préparation devient sirupeuse comme une marmelade, incorporer les amandes grillées. Remplir des pots à confiture avec la marmelade.

SUGGESTION DE VIN
Chili, Sauvignon blanc, Late Harvest, Errazuriz 2010
Code SAQ : 519850

6 PORTIONS
PRÉPARATION : 10 minutes
CUISSON : 30 minutes
REPOS : 10 minutes

Compote de poires au vin et aux épices

SAVIEZ-VOUS QUE TOUT COMME LA BANANE, LA POIRE ATTEINT SON APOGÉE APRÈS SA CUEILLETTE, CE QUI LUI DONNE UNE TEXTURE PLUS LISSE? DÉGUSTÉE FRAÎCHE OU CUITE, ELLE EST TOUJOURS DÉLICIEUSE!

INGRÉDIENTS

- 4 belles poires mûres
- 1 tasse (250 ml) de vin rouge
- 1/2 tasse (125 ml) de sucre
- 1 tasse (250 ml) d'eau
- Le zeste de 1 orange
- Le zeste de 1 citron
- 1 bâton de cannelle
- 3 clous de girofle
- 1 anis étoilé

PRÉPARATION

1. Éplucher les poires et en retirer les pépins. Couper la chair en petits cubes.

2. Dans une casserole, verser le vin, le sucre et l'eau. Porter à ébullition.

3. Incorporer les morceaux de poires avec les zestes et les épices.

4. Laisser mijoter de 15 à 20 minutes et retirer les épices.

5. Faire évaporer la préparation de vin rouge parfumée.

6. Bien remuer afin d'obtenir une compote et mettre en pot.

À BOIRE
Canada, Québec, Hemmingford, Neige Réserve, La Face Cachée de la Pomme 2008   Code SAQ : 10808257

6 PORTIONS
PRÉPARATION : 25 minutes
CUISSON : 5 minutes

Confiture de fruits rouges minute au zeste de citron

LES PREMIÈRES CONFITURES ONT ÉTÉ FAITES DANS LE BUT DE CONSERVER LE PLUS LONGTEMPS POSSIBLE LES FRUITS PLUS FRAGILES. AUJOURD'HUI, IL S'AGIT PLUTÔT D'UNE CONFISERIE MATINALE!

INGRÉDIENTS

- 1 tasse (250 ml) de fraises coupées en deux
- 1/2 tasse (125 ml) de bleuets
- 1/2 tasse (125 ml) de framboises
- Le jus de 2 citrons
- 1 1/2 tasse (375 ml) de sucre
- Le zeste de 1 citron

PRÉPARATION

1. Dans un grand bol, déposer les fruits. Les arroser avec le jus de citron et ajouter le sucre.
2. Remuer et laisser mariner de 5 à 10 minutes.
3. Dans une casserole, déposer la préparation avec le zeste de citron. Porter à ébullition, puis laisser mijoter 10 minutes.
4. Retirer les fruits et conserver le jus de cuisson dans la casserole.
5. Faire réduire le jus de moitié à petit feu.
6. Incorporer les fruits à la réduction, mélanger et mettre en pot.

SUGGESTION DE VIN
France, Banyuls,
Domaine de la Tour Vieille 2009
Code SAQ : 884908

Tartare de truite dans une lime

LE TARTARE EST CHIC ET LA TRUITE EST ÉCONOMIQUE. VOILÀ UN MARIAGE PARFAIT!
EN ACCORD AVEC LA LIME, CE PLAT TOUT EN FRAÎCHEUR SAURA EN IMPRESSIONNER PLUS D'UN!

INGRÉDIENTS

- 6 limes
- 1/2 lb (225 g) de truite saumonée
- 1/2 tomate émondée et concassée
- 1 c. à thé (5 ml) d'échalote hachée
- 1 c. à thé (5 ml) de ciboulette ciselée
- 1 c. à soupe (15 ml) de noix de pin
- 1 filet d'huile d'olive
- Le jus de 1 lime
- Sel et poivre du moulin

PRÉPARATION

1. Découper un couvercle dans la partie supérieure de chaque lime et les vider de leur chair à l'aide d'une cuillère.
2. Couper la truite finement au couteau et la déposer dans un bol.
3. Incorporer la tomate, l'échalote et la ciboulette. Ajouter les noix de pin.
4. Assaisonner avec l'huile d'olive et le jus de lime. Ajouter le sel et le poivre.
5. Remplir les limes de cette préparation et refermer le couvercle. Servir bien frais.

SUGGESTION DE VIN
Grèce, Mantinia, Moschofilero,
Dcmaine Tselepos 2010
Code SAQ : 11097485

6 PORTIONS
PRÉPARATION : 20 minutes
CUISSON : 10 minutes

Lait de poule à la duxelles de champignons

UN GRAND CLASSIQUE DES TEMPÉRATURES HIVERNALES, LE LAIT DE POULE EST TOUJOURS RÉCONFORTANT. JE VOUS LE PROPOSE DANS UNE VERSION CHIC ET SALÉE. BON APPÉTIT!

INGRÉDIENTS

- 6 œufs
- 1 échalote hachée
- 1 c. à soupe (15 ml) de beurre
- 1/2 tasse (125 ml) de champignons de Paris hachés finement
- 3 c. à soupe (45 ml) de vin blanc
- 3/4 tasse (180 ml) de lait
- Sel et poivre du moulin

PRÉPARATION

1. Comme pour un œuf à la coque, retirer les chapeaux des œufs. Les vider en séparant le blanc et le jaune. Rincer l'intérieur des coquilles à grande eau.

2. Dans une poêle, faire revenir l'échalote avec le beurre. Incorporer les champignons.

3. À coloration, verser le vin blanc. Faire réduire et assaisonner.

4. Dans une casserole, déposer le lait et porter à ébullition. Ajouter les jaunes d'œufs, assaisonner de sel et de poivre, et battre énergiquement à l'aide d'un fouet jusqu'à émulsion.

5. Mettre chaque coquille d'œuf dans un coquetier. Déposer une cuillère à café de duxelles de champignons dans chacune d'elles.

6. Remplir les coquilles avec la préparation au lait de poule. Servir bien chaud en petite entrée ou en bouchées lors d'un 5 à 7.

SUGGESTION DE VIN
France, Bordeaux, Pessac-Léognan,
Chateau Lafont-Menaut 2006
Code SAQ : 10752791

6 PORTIONS
PRÉPARATION : 15 minutes
CUISSON : 35 minutes

Orgeotto comme un risotto au parmesan

PLAT TRADITIONNEL DE L'ITALIE DU NORD, LE RISOTTO EST DÉSORMAIS PRÉSENT SUR LES CARTES DES PLUS GRANDS RESTAURANTS. PRÉPARÉ À BASE D'ORGE, IL SERA TOUT AUSSI DÉLICIEUX, ET PLUS ÉCONOMIQUE!

INGRÉDIENTS
- 2 tasses (500 ml) d'orge perlé
- 2 échalotes émincées
- 3 c. à soupe (45 ml) de beurre
- Sel et poivre du moulin
- 6 tasses (1,5 L) de bouillon de légumes
- 3/4 tasse (180 ml) de parmesan râpé

PRÉPARATION

1. Précuire l'orge perlé de 5 à 10 minutes dans une grande casserole d'eau bouillante et l'égoutter.

2. Dans une grande poêle, faire revenir les échalotes dans 1 c. à soupe de beurre. À coloration, incorporer l'orge.

3. Assaisonner, remuer et verser le bouillon de légumes une louche à la fois.

4. Remuer continuellement à l'aide d'une cuillère, comme pour un risotto. Ajouter du bouillon jusqu'à ce que l'orge soit prêt.

5. Ajouter le parmesan et le reste du beurre afin d'obtenir une texture crémeuse.

SUGGESTION DE VIN
Italie, Frioul, Ribolla Gialla Vinnae,
Jermann 2011
Code SAQ : 10854018

6 PORTIONS
PRÉPARATION : 15 minutes
CUISSON : 10 minutes
REPOS : 1 heure

Petite verrine de panna cotta, caramel à la fleur de sel

DES INGRÉDIENTS SIMPLES, UNE RECETTE FACILE ET UN GOÛT HORS DU COMMUN. DÉCOUVREZ CETTE PANNA COTTA (DESSERT ORIGINAIRE DU PIÉMONT) ET SON CARAMEL À LA FLEUR DE SEL!

INGRÉDIENTS

- 5 c. à soupe (75 ml) de sucre
- 1 c. à soupe (15 ml) de beurre
- 1 pincée de fleur de sel
- 2 tasses (500 ml) de lait
- 2 tasses (500 ml) de crème 35 %
- 1 gousse de vanille fendue en deux
- 6 feuilles de gélatine

PRÉPARATION

1. Dans une casserole, déposer le sucre et le faire fondre sans eau jusqu'à coloration pour obtenir un caramel.

2. Retirer la casserole du feu et incorporer le beurre. Remuer et parfumer avec la fleur de sel.

3. Verser le lait et la crème dans une grande casserole. Porter à ébullition avec la gousse de vanille.

4. Laisser mijoter de 5 à 8 minutes et retirer la gousse de vanille.

5. Tremper les feuilles de gélatine dans un bol d'eau, égoutter et incorporer à la préparation. Remuer à l'aide d'un fouet.

6. Verser la préparation dans 6 verrines. Laisser reposer au frais 1 heure ou jusqu'à ce que la panna cotta soit figée. Terminer en ajoutant le caramel à la fleur de sel.

SUGGESTION DE VIN
Italie, Vénétie, Conegliano
Valdobbiadene, Crede, Bisol 2011
Code SAQ : 10839168

53

6 PORTIONS
PRÉPARATION : 10 minutes
CUISSON : 25 minutes

Cappuccino de carottes au gingembre

LE GINGEMBRE EST UNE RACINE TRÈS UTILISÉE DANS LA CUISINE ASIATIQUE ET INDIENNE. SOUVENT AGENCÉ AVEC LA CAROTTE, LE VOICI DANS UNE VERSION DE STYLE CAPPUCCINO.

INGRÉDIENTS

- 4 carottes épluchées et coupées en rondelles
- 1/2 oignon haché
- 2 c. à soupe (30 ml) de beurre
- 1 tasse (250 ml) de crème 35 %
- 1 c. à soupe (15 ml) de gingembre frais râpé ou 1 c. à thé (5 ml) de gingembre en poudre
- Sel et poivre du moulin

PRÉPARATION

1. Faire revenir dans une casserole les carottes et l'oignon avec 1 c. à soupe de beurre. Couvrir d'eau à hauteur des légumes et cuire jusqu'à tendreté.

2. Passer les légumes au mélangeur. Remettre la préparation dans la casserole, ajouter 1/2 tasse de crème et le reste du beurre. Incorporer le gingembre et faire mijoter. Au besoin, ajouter de l'eau si la préparation est trop épaisse.

3. Battre à l'aide d'un fouet le restant de la crème 35 % en crème fouettée et assaisonner.

4. Verser la soupe de carottes dans des tasses à café et napper d'une cuillérée de crème fouettée.

SUGGESTION DE VIN
France, Alsace, Gewurztraminer,
Hugel et Fils 2010
Code SAQ : 329235

6 PORTIONS
PRÉPARATION : 15 minutes
CUISSON : 35 minutes

Cari de courge musquée
à la coriandre et au tofu

LE MOT *CARI* EST UNE DÉCLINAISON DU MOT *KARI,* QUI SIGNIFIE *PLAT MIJOTÉ.* C'EST AUSSI LE ROI
DE LA CUISINE INDIENNE : UN MÉLANGE D'ÉPICES QUI PEUT ÊTRE TRÈS DOUX OU TRÈS PIMENTÉ.

INGRÉDIENTS

- 1 filet d'huile d'olive
- 2 tasses (500 ml) de courge sans graines, pelée et coupée en dés
- 1/2 c. à soupe (7,5 ml) de pâte de cari rouge thaï
- 1 tasse (250 ml) de tofu ferme en cubes
- 2 tasses (500 ml) de bouillon de légumes
- 1 tasse (250 ml) de lait de coco
- Le jus et le zeste de 1 lime
- Sel et poivre du moulin
- 2 c. à soupe (30 ml) de coriandre hachée

PRÉPARATION

1. Verser un filet d'huile d'olive dans un poêlon et faire revenir les dés de courge. Incorporer la pâte de cari et bien remuer.

2. Ajouter le tofu ainsi que le bouillon de légumes.

3. Laisser mijoter à petit feu et verser le lait de coco.

4. Terminer avec le jus de lime et le zeste. Assaisonner.

5. Saupoudrer de coriandre hachée et servir chaud.

SUGGESTION DE VIN
États-Unis, Washington, Columbia Valley, Eroica, Château Ste-Michelle 2011 Code SAQ : 10749681

6 PORTIONS
PRÉPARATION : 10 minutes
CUISSON : 25 minutes

Velouté aux poireaux et croustilles

UN VELOUTÉ CLASSIQUE EST CONSTITUÉ D'UNE BASE DE SOUPE À LAQUELLE ON AJOUTE DE LA CRÈME ET DU JAUNE D'ŒUF. DANS UNE VERSION PLUS ALLÉGÉE AVEC DU LAIT, ELLE SERA TOUT AUSSI DÉLICIEUSE!

INGRÉDIENTS

- 2 poireaux entiers
- 2 tasses (500 ml) de pommes de terre pelées et coupées en cubes
- 1 filet d'huile d'olive
- 1 échalote émincée
- Sel et poivre du moulin
- 3 tasses (750 ml) de bouillon de légumes
- 1 jaune d'œuf
- 2 c. à soupe (30 ml) de beurre
- 2 tasses (500 ml) de lait

PRÉPARATION

1. Laver les poireaux et les couper en rondelles. Conserver une tasse de vert de poireau coupé finement en julienne dans le sens de la longueur.

2. Faire revenir les pommes de terre dans un poêlon avec un filet d'huile d'olive.

3. À coloration, ajouter l'échalote et le poireau. Bien remuer.

4. Assaisonner et arroser avec le bouillon de légumes. Laisser mijoter.

5. Passer la préparation au mélangeur. Incorporer le jaune d'œuf, le beurre et le lait. Terminer la cuisson à feu doux.

6. Faire frire la julienne de vert de poireau et servir sur le velouté.

SUGGESTION DE VIN
Canada, Colombie-Britannique, Pinot blanc, Mission Hill 2011
Code SAQ : 300301.

6 PORTIONS
PRÉPARATION : 15 minutes
CUISSON : 40 minutes

Minestrone de légumineuses au pistou

METS TRADITIONNEL ITALIEN, LA MINESTRONE EST AU CŒUR DE LA CUISINE MÉDITERRANÉENNE. IL Y A MILLE ET UNE FAÇONS DE LA PRÉPARER. JE VOUS SUGGÈRE D'UTILISER UN SAVOUREUX PISTOU DE BASILIC.

INGRÉDIENTS

- 1 filet d'huile d'olive
- 1 branche de céleri émincée
- 1 carotte en rondelles
- 2 tomates mûres, concassées
- 2 c. à soupe (30 ml) de pâte de tomate
- Sel et poivre du moulin
- 1 tasse (250 ml) de haricots blancs cuits
- 1/2 tasse (125 ml) de haricots rouges cuits
- 1/2 tasse (125 ml) de haricots noirs cuits
- 1/2 tasse (125 ml) de pois chiches cuits
- 1/2 tasse (125 ml) de lentilles vertes cuites
- 6 tasses (1,5 L) de bouillon de légumes
- 1/2 feuille de basilic
- 3 gousses d'ail hachées
- Parmesan râpé, au goût

PRÉPARATION

1. Dans un grand poêlon, faire revenir, avec un filet d'huile d'olive, le céleri, la carotte et les tomates concassées.

2. Ajouter la pâte de tomate et remuer. Assaisonner de sel et de poivre.

3. Incorporer les légumineuses et couvrir avec le bouillon de légumes. Laisser mijoter doucement de 35 à 40 minutes.

4. Écraser la feuille de basilic et l'ail haché et incorporer un filet d'huile d'olive.

5. Parsemer la minestrone bien chaude de parmesan et l'arroser avec le pistou de basilic.

SUGGESTION DE VIN
France, Alsace, Pinot noir,
Hugel 2009
Code SAQ : 744748

6 PORTIONS
PRÉPARATION : 10 minutes
CUISSON : 15 minutes

Petits farcis à la forestière au chèvre frais

AMUSANTS EN BOUCHÉES LORS DES 5 À 7 ET PARFAITS POUR UNE PETITE ENTRÉE REMARQUÉE,
CES PETITS FARCIS SAURONT EN ÉPATER PLUS D'UN!

INGRÉDIENTS

- 2 tasses (500 ml) de petits champignons de Paris ou café
- 1 filet d'huile d'olive
- Sel et poivre du moulin
- 1/3 tasse (80 ml) de fromage de chèvre frais
- 1 échalote émincée
- 2 c. à soupe (30 ml) de miel
- 1 c. à soupe (15 ml) de ciboulette
- 1 pincée de thym

PRÉPARATION

1. Retirer les pieds des champignons et les hacher.
2. Déposer les capuchons des champignons sur une plaque à cuisson, tête vers le bas. Verser un filet d'huile d'olive à l'intérieur des champignons et assaisonner de sel et de poivre.
3. Dans un bol, mélanger le fromage de chèvre frais, les champignons hachés et l'échalote.
4. Incorporer le miel, la ciboulette et le thym. Assaisonner et bien mélanger.
5. Farcir les champignons de cette préparation.
6. Faire cuire au four à 350 °F (175 °C) de 10 à 15 minutes.

SUGGESTION DE VIN
France, Corse Calvi, Fiumeseccu,
Domaine d'Alzipratu 2010
Code SAQ : 11095658

6 PORTIONS
PRÉPARATION : 25 minutes
CUISSON : 20 minutes

Tarte fine aux champignons

CETTE RECETTE SAURA CERTAINEMENT COMBLER LES PLUS GOURMANDS. VOUS POURREZ LA SERVIR EN FORMAT BOUCHÉES, EN ENTRÉE OU MÊME EN PLAT PRINCIPAL ACCOMPAGNÉE D'UNE BELLE SALADE.

INGRÉDIENTS

- 1 rouleau de pâte feuilletée
- 2 c. à soupe (30 ml) de beurre
- 1 filet d'huile d'olive
- 2 tasses (500 ml) de champignons variés
- 4 gousses d'ail hachées
- 2 échalotes émincées
- 2 c. à soupe (30 ml) de persil haché
- Sel et poivre du moulin
- 3 c. à soupe (45 ml) de porto
- 1/4 tasse (60 ml) de fond de veau ou de jus de viande réduit
- 1/2 tasse (125 ml) de copeaux de cheddar

PRÉPARATION

1. Étaler et diviser la pâte feuilletée en 6 tartelettes individuelles.

2. Dans une poêle, faire fondre le beurre avec un filet d'huile d'olive et faire revenir le mélange de champignons forestiers.

3. Incorporer l'ail, les échalotes et le persil haché. Assaisonner et remuer.

4. Déglacer avec le porto et verser le jus de viande. Laisser caraméliser.

5. Garnir les tartelettes de champignons et de copeaux de cheddar.

6. Faire cuire au four à 350 °F (175 °C) pendant 15 minutes.

SUGGESTION DE VIN
Nouvelle-Zélande, Marlborough, Chardonnay, Stoneleigh 2011
Code SAQ : 288795

6 PORTIONS
PRÉPARATION : 10 minutes
CUISSON : 35 minutes

Crème brûlée aux shiitakes

CULTIVÉ DEPUIS PLUS DE 1000 ANS, LE SHIITAKE SE RECONNAÎT PAR SON ÉPAIS CAPUCHON RECOURBÉ.
JE VOUS LE PROPOSE EN CRÈME BRÛLÉE, UNE FAÇON INATTENDUE DE DÉGUSTER CE CHAMPIGNON!

INGRÉDIENTS

- 2 tasses (500 ml) de shiitakes émincés
- 1 filet d'huile d'olive
- 1 échalote hachée
- 3 œufs
- 4 jaunes d'œufs
- 2 tasses (500 ml) de crème à cuisson
- 3/4 tasse (180 ml) de lait
- Sel et poivre du moulin
- 1 filet d'huile de truffe
- Mélange de sel et de sucre

PRÉPARATION

1. Faire revenir dans une poêle les shiitakes avec un filet d'huile d'olive et incorporer l'échalote.
2. Dans un bol, déposer les œufs, les jaunes d'œufs, la crème à cuisson et le lait. Assaisonner de sel et de poivre, parfumer la préparation avec un filet d'huile de truffe. Battre le tout.
3. Placer les champignons cuits au fond de ramequins à crème brûlée et verser la préparation aux œufs à 3/4 de hauteur.
4. Cuire dans une plaque au bain-marie pendant 30 minutes dans un four préchauffé à 350 °F (175 °C).
5. Laisser reposer. Une fois refroidies, caraméliser les crèmes brûlées avec un mélange moitié-moitié de sel et de sucre.

SUGGESTION DE VIN
Portugal, Madeira,
Rainwater Madère, Leacock's
Code SAQ : 245530

6 PORTIONS
PRÉPARATION : 15 minutes
CUISSON : 5 minutes

Carpaccio de portobellos, vinaigre balsamique et salade d'herbes

AYANT UN PARFUM LÉGÈREMENT PLUS PRONONCÉ QUE SES COUSINS, LE PORTOBELLO S'APPRÊTE AUSSI BIEN GRILLÉ QUE FRIT, EN SALADE OU EN REPAS. ESSAYEZ-LE MAINTENANT À MA FAÇON CARPACCIO!

INGRÉDIENTS

- 3 portobellos
- 1 filet d'huile d'olive
- Le jus de 1 citron
- Fleur de sel et poivre du moulin
- 10 à 12 feuilles de basilic
- 1 c. à soupe (15 ml) d'aneth frais
- 1 c. à soupe (15 ml) d'estragon frais
- 3 c. à soupe (45 ml) de vinaigre balsamique réduit

PRÉPARATION

1. Retirer les pieds des champignons et trancher le plus finement possible les portobellos. Les disposer en rosace dans une assiette.

2. Couper en rondelles les pieds des champignons et les faire revenir dans une poêle avec un filet d'huile d'olive.

3. Dans un petit bol, mélanger le jus de citron à un filet d'huile d'olive. Assaisonner.

4. À l'aide d'un pinceau, badigeonner la surface des champignons de la vinaigrette.

5. Mélanger les fines herbes au reste de la vinaigrette et confectionner une petite salade avec les rondelles de champignons sautés.

6. Servir avec une réduction de vinaigre balsamique.

SUGGESTION DE VIN
France, Bourgogne, Givry, premier cru Les Bois Chevaux, Didier Erker 2010
Code SAQ : 880492

4 PORTIONS
PRÉPARATION : 45 minutes
CUISSON : 40 minutes

Dégustation autour du champignon en quatre recettes

POUR LES MORDUS DE CHAMPIGNONS, CETTE DÉCLINAISON EN QUATRE FAÇONS NE PASSERA PAS INAPERÇUE! DANS QUATRE RAMEQUINS, DISPOSER CHACUNE DES PRÉPARATIONS POUR EN FAIRE UNE DÉGUSTATION ORIGINALE ET SAVOUREUSE.

INGRÉDIENTS EN VRAC
- 4 échalotes
- 10 oz (300 g) de champignons café ou de Paris frais
- 1 tasse (250 ml) d'huile d'olive
- 1/4 tasse (60 ml) de vin blanc
- 2 oz (50 g) de cèpes séchés
- 2 oz (50 g) de morilles séchées
- 2 gousses d'ail
- 1 c. à soupe (15 ml) de persil haché
- 4 feuilles de brick
- 2 gros champignons portobellos
- 1 branche de thym
- 2 tasses (500 ml) de crème 15 %
- 10 oz (300 g) de pleurotes frais
- 1 bouquet garni (thym, laurier, ail)
- 2 c. à soupe (30 ml) de vinaigre de vin blanc
- 1 c. à soupe (15 ml) d'huile de truffe
- Sel et poivre du moulin

PRÉPARATION
Velouté de champignons portobellos

Laver et peler les champignons. Les couper en lamelles et les faire revenir avec une échalote finement hachée ainsi qu'une branche de thym dans un filet d'huile d'olive. Dès coloration, verser 1/8 tasse de vin blanc et incorporer la crème. Saler et poivrer et laisser cuire à feu doux pendant 10 minutes. En fin de cuisson, retirer la branche de thym et passer le tout au mélangeur, incorporer l'huile de truffe et assaisonner.

Duxelles de champignons café ou de Paris

Hacher finement une échalote ainsi que les champignons café ou de Paris préalablement nettoyés et pelés. Dans une casserole, verser une cuillère à soupe d'huile d'olive et faire suer les champignons et les échalotes à feu doux. Dès que la préparation rejettera son eau, verser 1/8 tasse de vin blanc. Remuer, saler et poivrer. Laisser cuire à feu doux jusqu'à évaporation totale de l'eau et du vin blanc. Retirer et conserver au frais.

Croustillants aux champignons séchés

Dans un litre d'eau légèrement tiède, déposer les cèpes et les morilles. Dès que les champignons reprennent une apparence moelleuse, les égoutter à l'aide d'un papier absorbant. Dans une poêle, verser une cuillère à soupe d'huile d'olive. Y faire revenir les champignons pendant 3 minutes. Ajouter une gousse d'ail finement hachée ainsi que le persil. Dans une feuille de brick divisée en deux, verser une partie de la préparation aux champignons et refermer chaque moitié de la feuille de brick pour constituer de petits rouleaux. Badigeonner d'huile d'olive les rouleaux et les faire cuire au four ou dans une poêle afin de caraméliser la feuille de brick.

Salade de pleurotes confits

Couper en lamelles les champignons nettoyés. Les déposer dans une casserole et les couvrir d'huile d'olive. Ajouter le bouquet garni ainsi que 2 cuillères à soupe de vinaigre de vin blanc. Saler et poivrer et laisser cuire à feu très doux de 10 à 15 minutes. Égoutter les champignons et les conserver au frais.

SUGGESTION DE VIN
France, Bandol, Domaine Du
Gros' Noré 2003
Code SAQ : 11553938

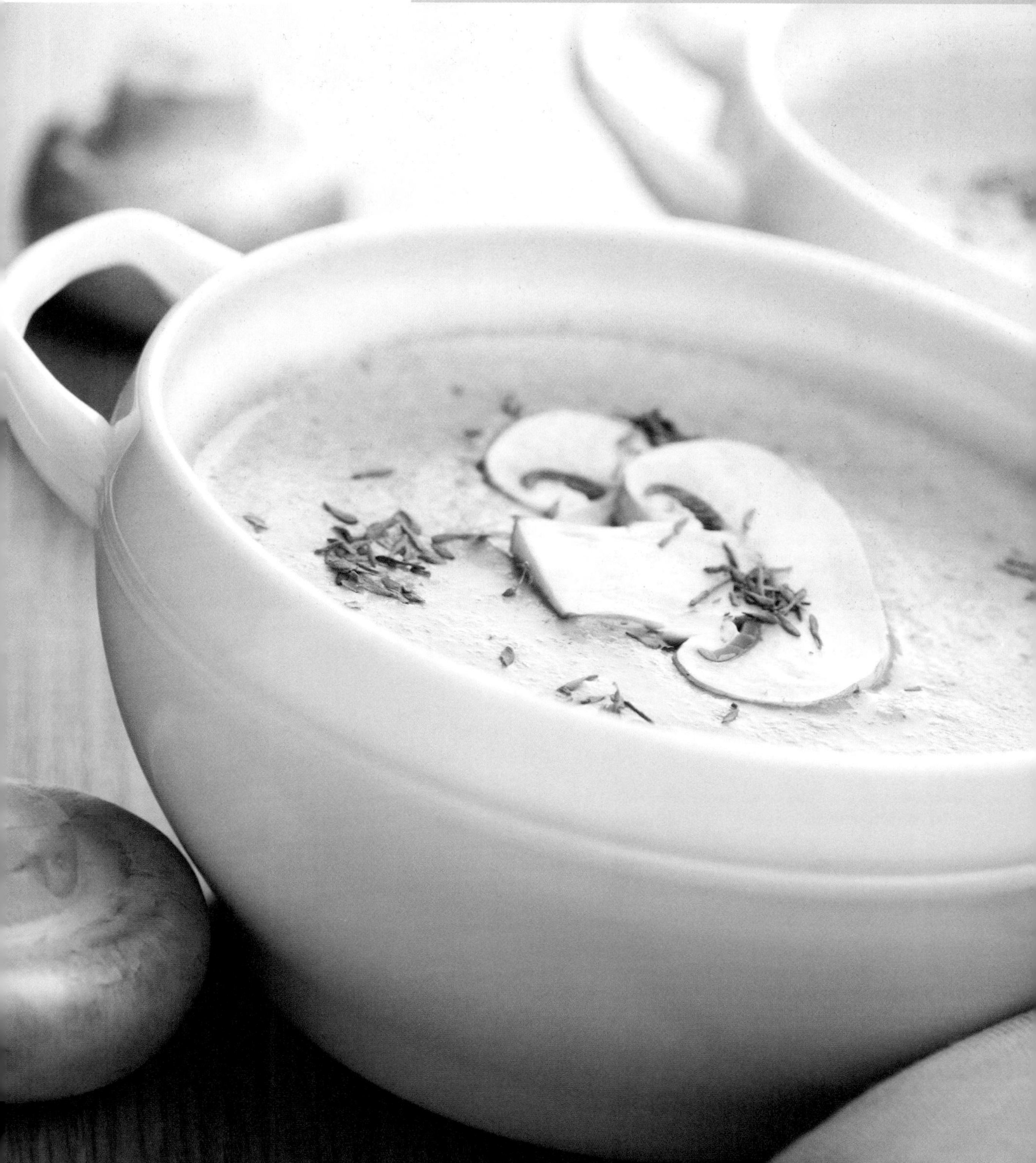

4 À 6 PORTIONS
PRÉPARATION : 20 minutes
CUISSON : 15 minutes

Panna cotta au vert de poireau avec petite friture

TOUT EST BON DANS CE LÉGUME. VOICI UNE FAÇON D'EN PROFITER AU MAXIMUM.
LE VERT DE POIREAU SE CONSERVE ÉGALEMENT POUR LA CONFECTION DE BOUILLONS ET POTAGES.

INGRÉDIENTS
- 4 à 5 verts de poireau
- Huile végétale
- 1 filet d'huile d'olive
- Quelques gouttes de martini ou de gin
- 3 tasses (750 ml) de crème 35 %
- 1 tasse (250 ml) de lait
- Sel et poivre du moulin
- 1 pincée de piment d'Espelette
- 7 feuilles de gélatine du commerce

PRÉPARATION

1. Émincer les verts de poireau en fine julienne. Les rincer à grande eau et bien les égoutter. Conserver 3/4 des juliennes pour le panna cotta et 1/4 pour la friture.

2. Dans une casserole, faire frire le 1/4 des juliennes dans un bain d'huile végétale et les retirer à coloration. Déposer sur un papier absorbant et assaisonner.

3. Dans une casserole, faire revenir le restant de verts de poireau avec un filet d'huile d'olive. Déglacer avec quelques gouttes de martini ou de gin et verser la crème et le lait. Laisser mijoter de 10 à 15 minutes.

4. Passer la préparation au mélangeur et la filtrer afin de ne pas laisser passer les fibres. Remettre sur le feu à feu doux, assaisonner et ajouter une pincée de piment d'Espelette.

5. Tremper les feuilles de gélatine dans l'eau et les incorporer à la préparation de poireaux. Bien remuer et remplir des coupes à martini.

6. Laisser refroidir les panna cotta. Au moment de servir, décorer de petites fritures de poireau.

SUGGESTION DE VIN
États-Unis, Californie, Viognier,
Cline Cellars 2011
Code SAQ : 11089792

4 À 6 PORTIONS
PRÉPARATION : 20 minutes
CUISSON : 15 minutes

Pressé de poireaux en vinaigrette, à la ficelle

UN INCONTOURNABLE DES BISTROS, MAIS AUSSI UN GRAND CLASSIQUE DE NOS TABLES. VOICI UNE FAÇON DE PRÉSENTER LE POIREAU EN VINAIGRETTE ET DE LUI DONNER DE NOUVELLES LETTRES DE NOBLESSE.

INGRÉDIENTS
- 4 à 6 poireaux entiers
- 1 clou de girofle
- Une ficelle à rôti
- 4 c. à soupe (60 ml) de vinaigre d'érable
- Le jus de 1 lime
- Quelques gouttes de sirop d'érable ambré
- Sel et poivre du moulin
- 1/2 tasse (125 ml) d'huile de noisette

PRÉPARATION

1. Rincer les blancs de poireau à grande eau.

2. Dans une grande casserole d'eau bouillante salée, ajouter un clou de girofle ainsi que les poireaux. Faire cuire à couvert de 10 à 15 minutes.

3. Retirer et égoutter les blancs de poireau. Les disposer sur un plan de travail et les couper en rondelles d'environ 1 pouce.

4. Confectionner avec les poireaux un assemblage en forme de rosace et les ficeler à l'aide de la ficelle de cuisson.

5. Dans un bol, verser le vinaigre, le jus de lime et le sirop d'érable. Assaisonner et émulsionner la vinaigrette avec l'huile de noisette.

6. Déposer les poireaux dans une assiette et les arroser de la vinaigrette.

SUGGESTION DE VIN
Italie, Vénétie, Conegliano Valdobbiadene, Crede, Bisol 2011
Code SAQ : 10839168

4 À 6 PORTIONS
PRÉPARATION : 25 minutes
CUISSON : 25 minutes

Tagliatelles de blancs de poireau aux crevettes

VOICI UNE FAÇON ORIGINALE DE REMPLACER LES PÂTES PAR CE LÉGUME,
DONT LA PRÉPARATION SÉDUIRA LES PLUS FINS GOURMETS AINSI QUE LES ENFANTS.

INGRÉDIENTS
- 4 à 5 blancs de poireau
- 1 échalote émincée
- 1 noix de beurre
- 15 crevettes décortiquées
- Sel et poivre du moulin
- 1/4 tasse (60 ml) de vin blanc
- 1 tasse (250 ml) de crème à cuisson

PRÉPARATION

1. Rincer les blancs de poireau. Les diviser dans le sens de la longueur et confectionner à l'aide d'un couteau des bandes de la taille d'une tagliatelle.

2. Dans une casserole d'eau bouillante salée, plonger le légume quelques secondes et le retirer aussitôt. Bien égoutter.

3. Dans une casserole, faire revenir l'échalote avec une noix de beurre. Incorporer les crevettes et assaisonner.

4. Déglacer la casserole avec le vin blanc et retirer les crevettes.

5. Ajouter les blancs de poireau et arroser de crème. Assaisonner et laisser mijoter.

6. Servir les tagliatelles et garnir de crevettes.

SUGGESTION DE VIN
Italie, Piémont, Langhe, Chardonnay
Buscat, Fratelli Alessandria 2010
Code SAQ : 11220181

4 À 6 PORTIONS
PRÉPARATION : 25 minutes
CUISSON : 45 minutes

Quiche aux poireaux braisés gratinée

L'UNE DES QUICHES AUX LÉGUMES LES PLUS SAVOUREUSES! ELLE SERA DÉLICIEUSE DÉGUSTÉE CHAUDE OU FROIDE.

INGRÉDIENTS

- 3 à 4 poireaux
- 1 noix de beurre
- 2 tasses (500 ml) de crème à cuisson
- 1/2 tasse (125 ml) de lait
- 4 œufs
- Sel et poivre du moulin
- Un rouleau de pâte brisée
- 1 tasse (250 ml) de gruyère râpé

PRÉPARATION

1. Laver et rincer les poireaux. Les émincer jusqu'à 3/4 de leur longueur en fines rondelles.
2. Dans une casserole, faire revenir les poireaux avec la noix de beurre et laisser braiser lentement jusqu'à un début de coloration.
3. Dans un bol, verser la crème, le lait et les œufs. Battre et assaisonner.
4. Déposer la pâte brisée dans un plat allant au four. Ajouter les poireaux et verser la préparation de crème.
5. Parsemer de gruyère râpé et faire cuire de 35 à 40 minutes dans un four préchauffé à 350 °F (175 °C).

SUGGESTION DE VIN
France, Bourgogne, Chardonnay
Jurassique, Jean-Marc Brocard 2010
Code SAQ : 11459087

4 À 6 PORTIONS
PRÉPARATION : 15 minutes
CUISSON : 30 minutes

Potage de courge diabolique

QUOI DE MIEUX POUR COMMENCER CE REPAS HALLOWEENESQUE QU'UN DÉLICIEUX POTAGE DIABOLIQUE. VOICI UNE EXCELLENTE FAÇON DE FAIRE DÉCOUVRIR LA COURGE MUSQUÉE AUX ENFANTS!

INGRÉDIENTS
- 1 lb (450 g) de courge musquée (Butternut) coupée en petits dés
- 1 filet d'huile d'olive
- 2 c. à thé (10 ml) de pâte de cari rouge ou de cari
- 3 gousses d'ail hachées
- Sel et poivre du moulin
- 4 tasses (1 litre) de bouillon de légumes
- 1/4 tasse (60 ml) de beurre
- Le zeste et le jus de 1 lime

PRÉPARATION

1. Dans un poêlon, faire revenir les dés de courge avec un filet d'huile d'olive. À coloration, incorporer la pâte de cari (ou votre cari).

2. Recouvrir d'eau à hauteur des légumes et faire mijoter. Ajouter l'ail et assaisonner.

3. Verser le bouillon de légumes et le jus de lime.

4. Réduire le tout en purée afin d'obtenir un potage. Incorporer le beurre et le zeste de lime.

5. Servir chaud dans une assiette creuse. Pour un effet visuel de potion magique, n'hésitez pas à plonger directement dans la soupe quelques cristaux de glace carbonique!

4 À 6 PORTIONS
PRÉPARATION : 35 minutes
CUISSON : 30 minutes

Trempette saumonée à la citrouille

GRANDE VEDETTE DE LA FÊTE D'HALLOWEEN, LA CITROUILLE SE SAVOURE SURTOUT EN TARTE.
VOICI UNE RECETTE PLUS ORIGINALE PRÉPARÉE AVEC DU SAUMON; UN DÉLICE!

INGRÉDIENTS

- 1 tasse (250 ml) de chair de citrouille en dés
- 3/4 tasse (180 ml) de saumon
- 1 filet d'huile d'olive
- 1/4 tasse (60 ml) de vin blanc
- 1 échalote émincée
- 2 gousses d'ail hachées
- 2 c. à soupe (30 ml) de coriandre hachée
- Sel et poivre du moulin
- Le jus de 1 lime et son zeste râpé
- 1 minicitrouille creusée et vidée (ou autre cucurbitacée)

PRÉPARATION

1. Déposer dans une casserole d'eau bouillante les dés de citrouille et les faire cuire entièrement. Les retirer et en faire une purée.

2. Dans une poêle, faire cuire le saumon avec un filet d'huile d'olive. Déglacer avec le vin blanc.

3. Écraser le saumon à la fourchette et incorporer l'échalote, l'ail et la coriandre. Assaisonner.

4. Ajouter le jus de lime et son zeste râpé, et mélanger les deux préparations.

5. Remplir la minicitrouille avec la trempette. Servir frais avec quelques légumes croquants ou des craquelins.

SUGGESTION DE VIN
France, Vallée de La Loire, Saumur, Clos de Guichaux, Domaine Guiberteau 2009
Code SAQ : 11461099

4 À 6 PORTIONS
PRÉPARATION : 25 minutes
CUISSON : 35 minutes

Poutine d'Halloween

UN CLASSIQUE QUÉBÉCOIS RÉINVENTÉ POUR L'OCCASION. UNE SAUCE LÉGÈREMENT RELEVÉE, L'INÉVITABLE FROMAGE EN GRAINS ET LA CITROUILLE EN GUISE DE FRITES... ON SALIVE DÉJÀ!

INGRÉDIENTS

- 1 kg (2 lb) de citrouille sans la peau
- Sel
- Bain d'huile végétale pour la friture
- 1/4 tasse (60 ml) de ketchup
- 1/4 tasse (60 ml) de cassonade
- 1/2 tasse (125 ml) de bouillon de poulet
- 1 tasse (250 ml) de bouillon de légumes
- 1 c. à thé (5 ml) de tabasco
- 2 c. à soupe (30 ml) de sauce hoisin
- 2 gousses d'ail hachées
- Quelques gouttes de vinaigre
- Sel et poivre du moulin
- 1 tasse (250 ml) de fromage en grains

PRÉPARATION

1. Couper la citrouille en bâtonnets afin de réaliser des frites. Les saupoudrer légèrement de sel.
2. Les faire frire jusqu'à coloration dans un bain d'huile végétale bien chaud.
3. Dans une casserole, déposer le ketchup, la cassonade, le bouillon de poulet et le bouillon de légumes. Porter le tout à ébullition.
4. Ajouter le tabasco, la sauce hoisin, l'ail haché et quelques gouttes de vinaigre. Laisser mijoter afin d'obtenir une réduction et rectifier l'assaisonnement avec le sel et le poivre.
5. Dresser les frites de citrouille avec le fromage en grains et arroser de la sauce.

SUGGESTION DE VIN
France, Vallée du Rhône, Saint-Joseph,
L'Amarybelle, Yves Cuilleron 2010
Code SAQ : 11824662

4 À 6 PORTIONS
PRÉPARATION : 20 minutes
CUISSON : 10 minutes
REPOS : 15 minutes

Rédemption choco-orange

GRAND CLASSIQUE DES TEMPÉRATURES HIVERNALES, LE LAIT DE POULE EST TOUJOURS RÉCONFORTANT.
JE VOUS LE PROPOSE DANS UNE VERSION CHIC ET SALÉE. BON APPÉTIT!

INGRÉDIENTS

- 3/4 tasse (180 ml) de chocolat noir
- 1 c. à soupe (15 ml) de zeste d'orange
- 1/4 tasse (60 ml) de sucre
- 3 jaunes d'œufs
- 1/3 tasse (80 ml) de jus d'orange frais
- 3 blancs d'œufs
- 1 1/2 tasse (375 ml) de crème à fouetter 35 %
- 4 à 6 oranges évidées de leur chair

PRÉPARATION

1. Faire fondre dans un bain-marie le chocolat noir avec le zeste d'orange.

2. Dans un bol, déposer le sucre et les jaunes d'œufs, et battre le tout. Incorporer le jus d'orange.

3. Ajouter le chocolat fondu à cette préparation et bien remuer.

4. Monter les blancs d'œufs en neige et les incorporer à la préparation chocolatée refroidie à température ambiante.

5. Battre au fouet la crème pour obtenir une chantilly et l'incorporer à la préparation au chocolat.

6. Laisser refroidir la mousse choco-orange et remplir les oranges préalablement taillées aux motifs d'Halloween.

SUGGESTION DE VIN
Australie, Museum Muscat,
Yalumba Wines,
Code SAQ : 10366495

4 À 6 PORTIONS
PRÉPARATION : 15 minutes
CUISSON : 10 minutes

Pain doré coco, banane et chocolat

QU'ON L'APPELLE PAIN DORÉ, PAIN PERDU, CROÛTE DORÉE OU SIMPLEMENT DORÉ, CE DÉLICE MATINAL
EN RAVIT PLUS D'UN! QUELQUES GOUTTES DE RHUM SERVIRONT À EN FAIRE UNE VERSION POUR ADULTES.

INGRÉDIENTS

- 3 œufs
- 1 tasse (250 ml) de lait
- Quelques gouttes de rhum
- 4 à 6 c. à soupe (60 ml à 90 ml)
  de tartinade au chocolat
- 10 à 12 tranches de pain brioché
- 2 bananes
- Beurre pour la cuisson
- 1/2 tasse (125 ml) de noix de coco

PRÉPARATION

1. Dans un bol, battre les œufs.
2. Incorporer le lait et le rhum.
Bien mélanger.
3. Étaler la tartinade au chocolat
sur une surface des tranches
de pain.
4. Tremper chacune des tranches
dans la préparation de lait.

5. Peler et couper les bananes
en rondelles. Les déposer sur une
tranche de pain et refermer avec
une autre tranche afin de confectionner des sandwichs.
6. Dans une poêle bien chaude,
déposer une noix de beurre.
Faire cuire les pains préalablement
parsemés de noix de coco.
Servir chaud et doré.

SUGGESTION DE VIN
Portugal, Porto, Sottovoce,
Burmester
Code SAQ : 632364

4 À 6 PORTIONS
PRÉPARATION : 30 minutes
CUISSON : 1 à 2 heures

Roulé de saumon fumé à la ricotta

LE SAUMON FUMÉ AU PETIT DÉJEUNER FAIT TOUJOURS SON EFFET. IL EST HABITUELLEMENT PRÉSENTÉ SUR UN BAGEL, MAIS JE VOUS SUGGÈRE DE LE PRÉPARER EN ROULADE AVEC LA RICOTTA. C'EST UN DÉLICE !

INGRÉDIENTS

- 1 tasse (250 ml) de ricotta
- 1 filet d'huile d'olive
- Sel et poivre du moulin
- 2 c. à soupe (30 ml) de ciboulette ciselée
- Quelques tranches de saumon fumé

PRÉPARATION

1. Dans un bol, déposer la ricotta et battre avec un fouet.
2. Verser un filet d'huile d'olive, assaisonner et incorporer la ciboulette. Mélanger.
3. Sur une feuille de papier à cuisson, étendre le saumon fumé afin de ne plus voir la surface du papier.

4. Étaler la ricotta à la ciboulette sur la surface du saumon.
5. Délicatement, avec le bout de doigts, enrouler le saumon afin de confectionner un joli rouleau.
6. Laisser reposer de 1 à 2 heures au frais, puis couper en grosses rondelles.

SUGGESTION DE VIN
France, Saint-Bris,
Bailly-Lapierre 2011
Code SAQ : 10870211

4 À 6 PORTIONS
PRÉPARATION : 20 minutes
CUISSON : 15 minutes

Frittata de pommes de terre au romarin

RIEN DE PLUS COMPLET POUR COMMENCER LA JOURNÉE! CETTE SPÉCIALITÉ D'ORIGINE ITALIENNE ÉTAIT TRÈS POPULAIRE AU SIÈCLE DERNIER EN RAISON DE SON FAIBLE COÛT, CERTES, MAIS AUSSI POUR SA POLYVALENCE.

INGRÉDIENTS

- 1 tasse (250 ml) de pommes de terre coupées en dés
- 1 filet d'huile d'olive
- 6 à 8 œufs
- Sel et poivre du moulin
- 1/2 oignon haché
- 1 c. à soupe (15 ml) de romarin frais haché
- 1 c. à soupe (15 ml) de beurre

PRÉPARATION

1. Dans une poêle, faire revenir les pommes de terre avec un filet d'huile d'olive.

2. Dans un bol, battre les œufs à l'aide d'un fouet. Assaisonner.

3. À coloration des pommes de terre, ajouter l'oignon et continuer la cuisson. Terminer avec le romarin haché.

4. Verser le beurre et les œufs dans la poêle.

5. À mi-cuisson de l'omelette, déposer la poêle sous le gril du four.

SUGGESTION DE VIN
Argentine, Mendoza, Chardonnay,
Bodegas Esmeralda 2011
Code SAQ : 467969

4 À 6 PORTIONS
PRÉPARATION : 25 minutes
CUISSON : 15 minutes

Canard à l'orange dans son fruit

VOICI UNE RECETTE QUI SAURA PLAIRE AUTANT PAR SA PRÉSENTATION QUE PAR SON GOÛT. LA FRAÎCHEUR DE LA CORIANDRE ET DES ORANGES MÊLÉE AU GOÛT FIN DU CANARD EST UN SUCCÈS ASSURÉ!

INGRÉDIENTS
- 4 à 6 oranges moyennes
- 1 filet d'huile d'olive
- 4 à 6 feuilles de bok choy
- 1 à 2 magrets de canard
- Sel et poivre du moulin
- 1 c. à soupe (15 ml) de coriandre hachée

PRÉPARATION

1. Rincer les oranges à l'eau froide. À l'aide d'un couteau, retirer un couvercle sur chacune d'elles et les conserver.

2. Retirer la chair de l'orange et la concasser, sans casser le fruit. Presser la chair afin d'en retirer le jus.

3. Dans une poêle, verser un filet d'huile d'olive et cuire le bok choy préalablement haché.

4. Retirer le gras des magrets. Couper la viande en petits cubes.

5. Déposer la viande dans la poêle avec le bok choy. Assaisonner et ajouter la coriandre.

6. Verser le jus d'orange et l'orange concassée. Laisser caraméliser. Remplir les oranges évidées et servir avec le couvercle.

SUGGESTION DE VIN
Argentine, Mendoza, Pinot noir,
Luca Winery 2009
Code SAQ : 11460002

Gratin dauphinois aux lardons et au vin blanc

LE SECRET D'UN GRATIN EXTRAORDINAIRE CONSISTE À UTILISER DES POMMES DE TERRE JAUNES ET BEAUCOUP DE BEURRE.

INGRÉDIENTS

- 3 lb (1,5 kg) de pommes de terre jaunes
- 3 tasses (750 ml) de crème 15 %
- 3 gousses d'ail hachées
- Muscade (facultatif)
- 1 oignon émincé
- 1 tasse (250 ml) de petits lardons
- 1/4 tasse (60 ml) de vin blanc
- 1/2 tasse (125 ml) de beurre
- Sel et poivre du moulin

PRÉPARATION

1. Éplucher les pommes de terre et les émincer.

2. Porter la crème à ébullition avec l'ail et la muscade.

3. Dans une poêle, faire revenir l'oignon avec les lardons. Déglacer avec le vin blanc.

4. Dans un plat à gratin, déposer les pommes de terre et disperser le beurre. Assaisonner.

5. Arroser la préparation avec la crème à l'ail, l'oignon et les lardons. Mélanger le tout.

6. Faire cuire au four à 350 °F (175 °C) pendant 45 minutes.

SUGGESTION DE VIN
Canada, Ontario, Barrel Fermented
Chardonnay, EastDell 2008
Code SAQ : 11140332

Tartines de champignons au cheddar et à l'œuf poché

UN PRÊT-À-MANGER TRÈS SAVOUREUX QUI VOUS RÉCHAUFFERA LE CŒUR ET LE VENTRE LORS DES SOIRÉES FROIDES.

INGRÉDIENTS

- 4 à 6 œufs
- 1 noix de beurre
- 1 filet d'huile d'olive
- 3 échalotes émincées
- 2 ou 3 portobellos émincés
- 1 shooter de porto
- 1/4 tasse (60 ml) de crème 35 %
- Sel et poivre du moulin
- 4 à 6 tranches de pain
- 1 tasse (250 ml) de copeaux de cheddar

PRÉPARATION

1. Préparer les œufs pochés en les plongeant dans une casserole d'eau bouillante. Remuer délicatement avec une spatule.

2. Dans une poêle, déposer le beurre et l'huile d'olive. Faire revenir les échalotes et les champignons.

3. Déglacer la préparation avec le porto. Verser la crème 35 % et laisser mijoter. Assaisonner.

4. Sur chacune des tartines de pain grillé, placer la préparation de champignons.

5. Déposer l'œuf poché et parsemer de copeaux de cheddar. Servir avec une salade verte.

SUGGESTION DE VIN
France, Jura, Arbois, Chardonnay,
Stéphane Tissot 2010
Code SAQ : 11194701

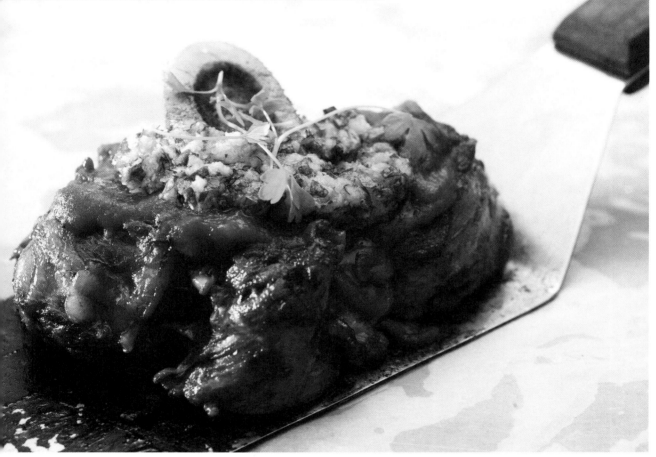

Osso buco et sa gremolata

GRAND CLASSIQUE DE LA CUISINE ITALIENNE, L'OSSO BUCO SE TRADUIT PAR *OS TROUÉ*.
SUCCULENT ACCOMPAGNÉ D'UN RISOTTO.

INGRÉDIENTS
- 1 filet d'huile d'olive
- 4 à 6 tranches de jarret de veau
- 6 oignons hachés
- 3 carottes coupées en rondelles
- 2 branches de céleri émincées
- 2 tasses (500 ml) de vin blanc
- 1 bouquet garni (thym et laurier)
- 3 c. à soupe (45 ml) de pâte de tomate
- 6 tomates concassées en conserve
- Sel et poivre du moulin
- 3 tasses (750 ml) d'eau
- 3 gousses d'ail hachées
- 2 c. à soupe (30 ml) de basilic haché
- Le zeste de 1 citron
- 2 c. à soupe (30 ml) de parmesan

PRÉPARATION
1. Dans un grand poêlon, faire colorer les morceaux de viande avec un filet d'huile d'olive.
2. Incorporer les oignons, les carottes et le céleri. Faire revenir et déglacer avec le vin blanc.
3. Ajouter le bouquet garni ainsi que la pâte de tomate et les tomates concassées. Assaisonner et ajouter l'eau. Laisser mijoter de 1 h 30 à 2 h, selon l'épaisseur de la viande.
4. Dans un bol, déposer l'ail, le basilic et le zeste de citron. Ajouter le parmesan, le sel et le poivre. Bien mélanger.
5. Servir l'osso buco bien chaud. Déposer sur chaque pièce de viande une cuillérée de gremolata.

4 À 6 PORTIONS
PRÉPARATION : 25 minutes
CUISSON : 2 heures

Jarret d'agneau braisé

CE MODE DE CUISSON CONSISTE À FAIRE CUIRE LA VIANDE LONGUEMENT.
L'ENROBAGE DE LA SAUCE REHAUSSERA LA SAVEUR DE L'AGNEAU.

INGRÉDIENTS

- 4 à 6 jarrets d'agneau
- 1 filet d'huile d'olive
- Sel et poivre du moulin
- 8 gousses d'ail épluchées
- 3 panais coupés en rondelles
- 1 citron coupé en rondelles
- 2 tasses (500 ml) de vin blanc
- 1 branche de thym
- 2 tasses (500 ml) de fond
  d'agneau du boucher

PRÉPARATION

1. Dans un plat à braiser, déposer les jarrets d'agneau et les arroser d'un filet d'huile d'olive. Saler et poivrer.

2. Ajouter les gousses d'ail, le panais et le citron.

3. Placer le plat dans un four préchauffé à 450 °F (230 °C) et laisser cuire jusqu'à coloration de la viande. La retourner de temps en temps.

4. Retirer le plat du four et déglacer avec le vin blanc. Ajouter le thym et le fond d'agneau.

5. Couvrir le plat et le remettre au four pendant 1 h. Retourner la viande toutes les 20 minutes.

6. Retirer les jarrets et filtrer le jus de viande. Faire caraméliser l'agneau avec la sauce au four ou dans un poêlon.

SUGGESTION DE VIN
France, Haut-Médoc,
Château Sociando-Mallet 2003
Code SAQ : 11233387

De bons plats

qui réchauffent le cœur...

et le ventre!

Mes recettes gourmandes
HIVERNALES

Fondue asiatique

GRÂCE À SON BOUILLON, LA FONDUE ASIATIQUE A L'AVANTAGE D'ÊTRE PEU CALORIQUE ET DE VOUS FAIRE VOYAGER SUR UN AUTRE CONTINENT SANS QUE VOUS QUITTIEZ LE CONFORT DE VOTRE FOYER.

INGRÉDIENTS

- 3/4 c. à soupe (12 ml) de miel
- 3 c. à soupe (45 ml) de sauce soya
- 1 filet d'huile de sésame
- 6 tasses (1,5 L) de bouillon de poulet
- 10 gousses d'ail entières
- Le jus de 2 limes
- 1 rondelle de gingembre
- 1 c. à soupe (15 ml) de coriandre hachée
- 2 pincées de piment fort en poudre
- Sel et poivre du moulin
- 8 à 12 petits pétoncles
- 1 tasse (250 ml) de crevettes décortiquées
- 1 tasse (250 ml) de calamars en rondelles
- 1 tasse (250 ml) de morue en cubes
- 1/2 lb (225 g) de bœuf en fines tranches
- 1/2 lb (225 g) de poulet en fines tranches
- 1/2 lb (225 g) d'agneau en fines tranches
- 1/2 tasse (125 ml) de tofu ferme en cubes
- 2 tasses (500 ml) de chou chinois grossièrement tranché

PRÉPARATION

1. Dans une casserole, déposer le miel, la sauce soya et l'huile de sésame. Verser le bouillon de poulet et porter à ébullition.

2. Ajouter les gousses d'ail, le jus de lime et le gingembre, et remuer le tout.

3. Incorporer la coriandre et le piment. Assaisonner avec le sel et le poivre.

4. Déposer le bouillon dans un caquelon à fondue et allumer le réchaud.

5. Dans un grand plat de service, disposer les fruits de mer, le poisson, les viandes ainsi que le tofu et le chou chinois.

6. À l'aide de fourchettes à fondue, tremper les aliments quelques instants dans le bouillon afin de les faire pocher. Accompagner votre repas de légumes au choix.

À BOIRE
Japon, Junmai Ginjo
Takasago Hakusan Sake
Code SAQ : 11156537

6 PORTIONS
PRÉPARATION : 25 minutes
CUISSON : 20 minutes

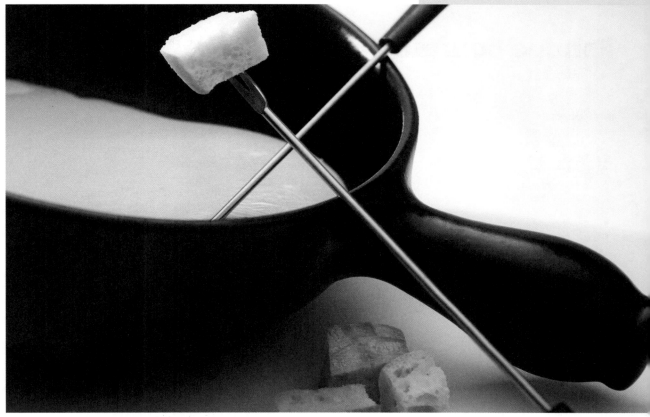

Fondue au fromage

LA FONDUE PAR EXCELLENCE POUR LES MORDUS DE FROMAGE! LES SAVOYARDS DE FRANCE ET LES SUISSES SE VANTENT DE PRÉPARER LA MEILLEURE FONDUE.

INGRÉDIENTS

- 2 gousses d'ail coupées en 2
- 1 lb (450 g) d'emmental râpé
- 1 lb (450 g) de gruyère râpé
- 1 lb (450 g) de vacherin fribourgeois râpé
- 2 c. à soupe (30 ml) de fécule de maïs
- 2 tasses (500 ml) de vin blanc sec
- 1 c. à thé (5 ml) de bicarbonate de soude
- 3 c. à soupe (45 ml) de kirsch
- 1 grosse miche de pain coupée en gros morceaux
- Oignons grelots et cornichons salés et marinés
- 3/4 lb (350 g) de viande de grison finement tranchée
- Poivre du moulin

PRÉPARATION

1. Dans un caquelon à fondue au fromage, frotter la paroi intérieure avec les gousses d'ail. Laisser l'ail à l'intérieur du caquelon.

2. Mélanger les 3 variétés de fromage avec la fécule de maïs.

3. Verser le vin blanc dans le caquelon et porter à ébullition.

4. Une fois le vin bien chaud, ajouter les fromages. Baisser le feu et remuer continuellement à l'aide d'une cuillère de bois.

5. Lorsque le fromage fondu est bien homogène, mélanger le bicarbonate au kirsch dans un petit verre. Remuer et verser d'un coup dans la fondue. Celle-ci moussera aussitôt. Remuer continuellement avec la cuillère de bois.

6. Conserver la fondue sur un réchaud. Déguster la fondue en trempant des morceaux de pain. Régalez-vous avec les condiments et la viande de grison.

7. Assaisonner au besoin de grains de poivre moulu votre pain trempé.

SUGGESTION DE VIN
Suisse, Valais, Fendant de Sierre, Rouvinez 2010
Code SAQ : 928937

Fondue bourguignonne

UNE FONDUE FAITE EXCLUSIVEMENT AVEC DE LA VIANDE DE BŒUF QUI SERA FRITE DANS UN BAIN D'HUILE VÉGÉTALE. NE PAS HÉSITER À LA SERVIR AVEC UNE GRANDE VARIÉTÉ DE SAUCES.

INGRÉDIENTS

- 1 bain d'huile végétale (tournesol ou canola)
- 2 à 3 lb (1 à 1,5 kg) de filet de bœuf ou rumsteck en cubes
- 2 tasses (500 ml) de champignons de Paris coupés en 4
- Cornichons ou oignons grelots salés et marinés
- Une sauce mayonnaise
- Une sauce béarnaise
- Une sauce tartare
- Une sauce cocktail
- Une sauce ketchup
- Etc.
- Sel et poivre du moulin

PRÉPARATION

1. Porter à ébullition l'huile végétale et la transvaser dans un caquelon. Attention aux brûlures!

2. Conserver la température de l'huile en allumant immédiatement le réchaud.

3. Présenter dans chacune des assiettes des convives une portion de viande de bœuf ainsi que des champignons et des condiments.

4. Piquer au bout de longues fourchettes à fondue un morceau de viande et le faire cuire à votre convenance.

5. Disposer tout autour de la table une multitude de petits ramequins remplis de sauces. N'hésitez pas à faire une joyeuse dégustation!

SUGGESTION DE VIN
France, Bourgogne, Pommard, Henri de Villamont 2009
Code SAQ : 872135

4 À 6 PORTIONS
PRÉPARATION : 20 minutes
CUISSON : 10 minutes

Fondue au chocolat

LE CHOCOLAT SERA LA VEDETTE DE CE DESSERT TOUJOURS AUSSI POPULAIRE
AUPRÈS DES GRANDS QUE DES PETITS GOURMANDS.

INGRÉDIENTS
- 1 1/2 tasse (375 ml) de crème 15 %
- 1 1/2 tasse (375 ml)
  de chocolat noir
- Quelques morceaux
  de chocolat Toblerone
- Quelques gouttes de Grand Marnier
- Rondelles de bananes
- Tranches de pommes
- Quartiers de mandarines
- Fraises coupées en deux
- Guimauves

PRÉPARATION

1. Dans une casserole, porter
la crème à ébullition.
2. Baisser le feu et incorporer
le chocolat noir ainsi que le
Toblerone.
3. Remuer à l'aide d'une cuillère
et ajouter, une fois le chocolat bien
fondu, quelques gouttes de Grand
Marnier.

4. Verser la préparation dans un
caquelon à fondue au chocolat
et allumer le réchaud.
5. Sans aucune culpabilité,
tremper à souhait les fruits et
les guimauves dans le chocolat.
6. Pour augmenter le plaisir de
la dégustation, sorter la crème
glacée à la vanille ; elle est toujours
la bienvenue !

À BOIRE
France, Louis-Alexandre,
Grand Marnier
Code SAQ : 525261

4 À 6 PORTIONS
PRÉPARATION : 6 h 40
(incluant le temps de repos)
CUISSON : 2 heures

Bœuf bourguignon

C'EST LE PLAT EMBLÉMATIQUE DE TOUTE LA BOURGOGNE, RÉPUTÉE POUR SES ÉLEVAGES BOVINS.
IL EST ÉVIDEMMENT CUISINÉ AVEC DU VIN ROUGE DE BOURGOGNE.

INGRÉDIENTS
- 2 lb (1 kg) de cubes de bœuf
- 4 tasses (1 L) de vin rouge
- 1/3 tasse (80 ml) de farine
- 2 c. à soupe (30 ml) de beurre
- 1 filet d'huile d'olive
- 3/4 tasse (180 ml) d'oignons grelots
- 1 tasse (250 ml) de petits champignons en conserve
- 3/4 tasse (180 ml) de lardons
- 2 carottes coupées en rondelles
- 1 oignon haché
- 2 gousses d'ail hachées
- 2 feuilles de laurier
- Sel et poivre du moulin
- 1 bouquet de persil haché

PRÉPARATION
1. Déposer les cubes de bœuf dans un bol et les recouvrir de vin rouge. Laisser reposer de 5 à 6 heures. Retirer la viande du vin, égoutter et porter le vin à ébullition.
2. Mélanger les cubes avec la farine et les faire revenir dans une poêle avec une noix de beurre et un filet d'huile d'olive.
3. Ajouter les petits oignons, les champignons et les lardons.
4. Incorporer les carottes, l'oignon et l'ail.
5. Ajouter le laurier ainsi que le vin préalablement chauffé. Assaisonner. Rajouter de l'eau au besoin.
6. Laisser mijoter 2 heures à feu doux. Servir le bœuf bourguignon avec quelques pommes de terre ou des pâtes fraîches parsemées de persil.

SUGGESTION DE VIN
France, Givry,
Chanson Père & Fils 2010
Code SAQ : 966176

6 PORTIONS
PRÉPARATION : 15 minutes
CUISSON : 40 minutes

Pot-au-feu

GRAND CLASSIQUE DE LA CUISINE FRANÇAISE, NOUS LE RETROUVONS PARFOIS SOUS L'APPELLATION *BOUILLI*. COMPOSÉ DE BŒUF ET DE BEAUCOUP DE LÉGUMES, C'EST UN PLAT À REDÉCOUVRIR.

INGRÉDIENTS

- 1 poireau
- 3 carottes
- 1/2 chou vert
- 2 navets
- 6 pommes de terre
- 2 branches de céleri
- 1 paleron de bœuf
- 2 os à moelle
- 1 oignon entier
- 2 clous de girofle
- 3 gousses d'ail
- 1 branche de thym
- 1 feuille de laurier
- Sel et poivre du moulin
- 1 filet d'huile d'olive

PRÉPARATION

1. Nettoyer et éplucher les légumes, puis les couper en morceaux.
2. Remplir une grande cocotte au 3/4 d'eau. Y plonger le paleron de bœuf et les os à moelle. Piquer l'oignon avec les clous de girofle et l'incorporer avec l'ail, le thym et le laurier à la viande. Assaisonner.
3. Porter à ébullition, puis laisser mijoter à couvert au minimum 2 heures.
4. Ajouter les légumes et cuire 1 heure de plus.
5. Le pot-au-feu peut être servi aussitôt ou conservé dans son bouillon. Verser un filet d'huile d'olive au moment de servir.

SUGGESTION DE VIN
France, Minervois, Les Plots, Château Coupe Roses 2011
Code SAQ : 914275

4 À 6 PORTIONS
PRÉPARATION : 30 minutes
CUISSON : 45 minutes

Blanquette de pétoncles

LE MOT BLANQUETTE EST UN DÉRIVÉ DU MOT *BLANC*. TRÈS UTILISÉE EN GASTRONOMIE,
LA BLANQUETTE EST UN RAGOÛT À BASE DE SAUCE BLANCHE.

INGRÉDIENTS

- 8 à 12 pétoncles
- 1 filet d'huile d'olive
- 2 c. à soupe (30 ml) de beurre
- 1 c. à soupe (15 ml) de farine
- 3 tasses (750 ml) de fumet de poisson
- 2 tasses (500 ml) de crème 15 % à cuisson
- 2 tasses (500 ml) de champignons émincés
- 2 échalotes émincées
- Le jus de 1 citron
- Sel et poivre du moulin
- 1 c. à soupe (15 ml) d'aneth frais

PRÉPARATION

1. Dans un poêlon, faire colorer les pétoncles avec un filet d'huile d'olive. Les retirer. Dans le même poêlon, déposer le beurre et la farine afin de réaliser un roux.

2. Remuer à l'aide d'une cuillère et verser le fumet de poisson. Ajouter la crème et laisser mijoter.

3. Dans une poêle, faire revenir les champignons avec les échalotes. Ajouter les pétoncles déjà cuits et arroser de jus de citron.

4. Déposer le mélange de pétoncles et champignons dans la sauce et laisser mijoter à petit feu environ 30 minutes. Assaisonner.

5. Servir avec un riz blanc parfumé et quelques brins d'aneth frais.

SUGGESTION DE VIN
France, Crémant de Limoux,
Cuvée Expression, Antech 2008
Code SAQ : 10666084

4 À 6 PORTIONS
PRÉPARATION: 20 minutes
CUISSON: 1 heure

Tajine de poulet aux épices

LE TAJINE EST TRADITIONNELLEMENT EN TERRE CUITE. IL EST CONSIDÉRÉ COMME UN USTENSILE DE CUISINE DANS LES PAYS DU MAGHREB. IDÉAL POUR LES CUISSONS DE RAGOÛT À L'ÉTOUFFÉE.

INGRÉDIENTS

- 1 poulet coupé en morceaux
- 1 filet d'huile d'olive
- 3/4 c. à thé (3,75 ml) de ras-el-hanout
- 1/2 c. à thé (2,5 ml) de paprika
- 1 pincée de gingembre en poudre
- 1 oignon émincé
- 2 gousses d'ail hachées
- 2 tasses (500 ml) d'eau
- 1 tasse de raisins secs
- 1/2 c. à soupe (7,5 ml) de citron confit
- Sel et poivre du moulin

PRÉPARATION

1. Déposer les morceaux de poulet dans un bol à mélanger, verser un filet d'huile d'olive et incorporer les épices.

2. Colorer les pièces de viande dans une poêle.

3. Dans un tajine, déposer l'oignon et l'ail, puis les morceaux de viande. Verser l'eau.

4. Parsemer de raisins secs et de citron confit. Assaisonner.

5. Fermer le couvercle et laisser cuire au four 1 h à 350 °F (175 °C).

SUGGESTION DE VIN
Espagne, Rueda, Nosis,
Buil&Giné 2011
Code SAQ : 10860928

Pomme de Noël

VOICI UN COCKTAIL QUI SERA TRÈS POPULAIRE. DU GOÛT, DES ARÔMES ET DES BULLES… RIEN DE MIEUX!

INGRÉDIENTS
- 2 pommes rouges
- 5 oz (150 ml) de calvados
- 10 oz (300 ml) de jus
  de pomme
- 1 bouteille de champagne

PRÉPARATION

1. Placer les verres à martini au congélateur pendant 30 minutes.
2. À l'aide d'une cuillère parisienne, faire des billes de pomme et les disposer dans les verres.

3. Dans un mélangeur, verser le calvados et le jus de pomme froid. Bien mélanger et verser également dans les verres à martini.
4. Finir le cocktail avec le champagne.

6 PORTIONS
PRÉPARATION : 10 minutes

Douce Nuit

VOICI UN COCKTAIL PÉTILLANT DES PLUS
APPROPRIÉS POUR VOS CÉLÉBRATIONS
DU TEMPS DES FÊTES. VOS INVITÉS
EN REDEMANDERONT!

INGRÉDIENTS

- 1 oz (30 ml) de crème
  de cassis
- 3 c. à soupe (45 ml)
  de sucre semoule
- Crème de cassis au goût
- Liqueur bénédictine au goût
- 1 bouteille de champagne
- 6 cerises à l'eau-de-vie

PRÉPARATION

1. Placer les flûtes à champagne
30 minutes au congélateur.
2. Verser un peu de crème de cassis
dans une petite assiette et le sucre
dans une autre assiette.
3. Tremper le col de chaque flûte
dans la crème de cassis puis dans
le sucre.
4. Verser au goût la crème de cassis
et la liqueur bénédictine dans
chaque verre. Terminer avec
le champagne.
5. Au moment de servir, laisser
tomber une cerise au fond du verre.

Concombre à croquer aux crevettes

CETTE PETITE BOUCHÉE METTRA ASSURÉMENT DE LA FRAÎCHEUR DANS VOTRE MENU
DU TEMPS DES FÊTES! UN SUCCÈS ASSURÉ!

INGRÉDIENTS
- 1 gros concombre
- 1 tasse (250 ml) de petites
  crevettes décortiquées
- 2 c. à soupe (30 ml)
  de mayonnaise
- Sel et poivre du moulin
- Le jus et le zeste de 1/2 citron
- 1/2 c. à soupe (7,5 ml) d'aneth
  haché
- 1/4 tasse (60 ml) de canneberges
  séchées
- Quelques brins d'aneth

PRÉPARATION

1. À l'aide d'un canneleur, décorer
le concombre. Le couper en
tronçons de 5 à 6 cm de longueur.
Creuser légèrement l'intérieur.

2. Dans un petit bol, déposer
les crevettes et la mayonnaise.
Assaisonner de sel et de poivre et
ajouter le jus et le zeste de citron.

3. Remuer et incorporer l'aneth
haché.

4. Remplir les morceaux de
concombre avec la préparation
aux crevettes.

5. Décorer avec les canneberges
et quelques brins d'aneth. Servir
bien frais.

SUGGESTION DE VIN
Nouvelle-Zélande, Marlborough,
Sauvignon blanc, Cloudy Bay 2011
Code SAQ : 10954078

4 À 6 PORTIONS
PRÉPARATION : 25 minutes
CUISSON : aucune

Roulade de crêpes vitello tonnato

VOICI UNE PETITE BOUCHÉE SIMPLE À PRÉPARER, MAIS AU GOÛT EXCEPTIONNEL !
UN HEUREUX MÉLANGE DE VEAU ET DE THON QUI SAURA VOUS SURPRENDRE...

INGRÉDIENTS
- 1/4 tasse (60 ml) de thon émietté nature
- 2 c. à soupe (30 ml) de câpres hachées
- 3 c. à soupe (45 ml) de mayonnaise
- Sel et poivre du moulin
- Le jus de 1/2 citron
- 4 crêpes fines
- 5 à 6 tranches de rôti de veau froid

PRÉPARATION

1. Mélanger le thon, les câpres et la mayonnaise dans un bol. Assaisonner de sel et de poivre et verser le jus de citron. Remuer.

2. Étaler les crêpes sur le plan de travail. Étendre sur chacune d'elles la préparation de thon et recouvrir de tranches de rôti de veau.

3. Rouler les crêpes afin de créer de petits boudins et couper en rondelles.

4. Placer les roulades de crêpes vitello tonnato dans une petite assiette.

SUGGESTION DE VIN
Italie, Barbera d'Asti, La Tota,
Marchesi Alfieri 2010
Code SAQ : 978692

4 À 6 PORTIONS
PRÉPARATION : 15 minutes

Tartare de canard dans une figue

ON VOIT SOUVENT LE TARTARE PRÉPARÉ AVEC DU BŒUF, DU SAUMON OU DU THON. VOUS FEREZ FUREUR EN PROPOSANT DE PETITES BOUCHÉES DE TARTARE DE CANARD SERVI DANS UNE FIGUE !

INGRÉDIENTS

- 1 magret de canard
- 1/4 tasse (60 ml) de petits morceaux de parmesan
- 1 échalote finement émincée
- 1 c. à soupe (15 ml) de ciboulette ciselée
- 1/3 tasse (80 ml) de petits croûtons de pain
- Sel et poivre du moulin
- 1 filet d'huile d'olive
- 1 c. à soupe (15 ml) de vinaigre balsamique
- 8 à 12 petites figues fraîches

PRÉPARATION

1. Retirer le gras du canard. Couper finement la viande en petits morceaux à l'aide d'un couteau.

2. Dans un bol, déposer les morceaux de parmesan, l'échalote et la ciboulette.

3. Incorporer la viande de canard ainsi que les croûtons.

4. Assaisonner et verser l'huile d'olive et le vinaigre balsamique. Bien mélanger.

5. Couper les figues en croix. Les ouvrir complètement et les farcir avec le tartare de canard. Les refermer légèrement et les servir bien fraîches.

SUGGESTION DE VIN
Italie, Dolcetto d'Alba,
Bric del Salto, Sottimano 2010
Code SAQ : 10856558

Truffes au fromage

DU FROMAGE, DES NOIX ET DES RAISINS; UN ACCORD PARFAIT POUR VOS BOUCHÉES FESTIVES!
JE PARIE QUE LES TRUFFES S'ENVOLERONT RAPIDEMENT...

INGRÉDIENTS
- 1 tasse (250 ml) de fromage frais à tartiner ou de chèvre
- 1 filet d'huile d'olive
- Sel et poivre du moulin
- 1 tasse (250 ml) de raisins verts ou rouges
- 1/4 tasse (60 ml) de ciboulette ciselée
- 1/4 tasse (60 ml) de graines de pavot ou de sésame
- 1/4 tasse (60 ml) de noix concassées

PRÉPARATION
1. Déposer le fromage dans un bol. Verser un filet d'huile d'olive et assaisonner de sel et de poivre. Remuer.
2. Prendre un raisin dans le creux de la main et l'enrober de fromage. Confectionner des billes fromagères avec tous les raisins.
3. Répartir la ciboulette, les graines de pavot et les noix dans trois plats différents.
4. Rouler les raisins au fromage dans chacune des préparations et laisser reposer au frais jusqu'au moment de servir.

SUGGESTION DE VIN
France, Montlouis sur Loire,
Brut mousseux,
François Chidaine
Code SAQ : 11537049

4 À 6 PORTIONS
PRÉPARATION : 20 minutes
CUISSON : 15 minutes

Crevettes en croûte de coco et sauce coco-citron

JOYAU DES PAYS TROPICAUX, LA NOIX DE COCO REMPLACE LA CHAPELURE TRADITIONNELLE EN AJOUTANT UN GOÛT SUCRÉ, SUBTIL ET EXOTIQUE. PARFAIT POUR LES GRANDES CÉLÉBRATIONS!

INGRÉDIENTS

- 8 à 12 crevettes
- 8 à 12 tiges de bambou
- 1 c. à soupe (15 ml) de farine
- 2 jaunes d'œufs
- 3/4 tasse (180 ml) de noix de coco râpée
- 1 tasse (250 ml) de lait de coco
- Jus et zeste de 1 citron
- Sel et poivre du moulin

PRÉPARATION

1. Décortiquer les crevettes et les piquer dans le sens de la longueur sur une tige de bambou.

2. Les saupoudrer de farine.

3. Dans un bol, battre les jaunes d'œufs et tremper les crevettes. Les enrober ensuite de noix de coco râpée.

4. Déposer les crevettes sur une plaque de cuisson et faire cuire au four pendant 10 minutes à 350 °F (175 °C). Retourner à mi-cuisson pour une coloration des deux côtés.

5. Verser le lait de coco dans une casserole et porter à ébullition.

6. Incorporer le jus et le zeste de citron. Assaisonner de sel et de poivre et laisser mijoter pour faire réduire.

7. Servir les crevettes bien chaudes avec la sauce coco crémeuse.

SUGGESTION DE VIN
Nouvelle-Zélande, Malborough,
Riesling, Spy Valley 2010,
Code SAQ : 11035807

Pressé de foie gras, d'ananas et de pain d'épices

VOICI UNE FAÇON DIFFÉRENTE DE PRÉSENTER LE FOIE GRAS. CES PETITES BOUCHÉES OFFRIRONT L'OCCASION À CERTAINS DE LE DÉCOUVRIR ET À D'AUTRES, LA CHANCE DE LE SAVOURER AVEC UN NOUVEAU PARFUM.

INGRÉDIENTS

- 8 tranches de pain d'épices du commerce
- 4 tranches d'ananas frais de 1/2 cm d'épaisseur
- 2 c. à soupe (30 ml) de vinaigre de xérès
- 1/3 lb (150 g) de foie gras cuit en terrine

PRÉPARATION

1. Sur le plan de travail, déposer les tranches de pain d'épices. Les aplatir en fines galettes à l'aide d'un rouleau à pâtisserie.

2. Dans une poêle, placer les 4 tranches d'ananas et le vinaigre de xérès. Faire chauffer et retourner l'ananas afin de bien l'enrober.

3. Déposer chaque tranche d'ananas sur une tranche de pain d'épices.

4. Trancher le foie gras et le déposer sur les ananas.

5. Superposer chacun des carrés avec une deuxième tranche de pain d'épices afin d'obtenir 4 sandwichs. Presser légèrement.

6. Couper en petits cubes de 2,5 cm sur 2,5 cm afin de confectionner des petits canapés.

À BOIRE
Canada, Québec,
cidre de glace Avalanche,
Clos Saragnat 2009
Code SAQ : 11133221

4 À 6 PORTIONS
PRÉPARATION : 20 minutes
CUISSON : 10 minutes

Blinis de pommes de terre au saumon fumé

D'ORIGINE RUSSE, LE BLINI S'ADAPTE PARFAITEMENT AUX CANAPÉS.
AVEC LE SAUMON FUMÉ, C'EST UN SUCCÈS ASSURÉ !

INGRÉDIENTS
- 2 grosses pommes de terre
- 1 jaune d'œuf
- 1 c. à soupe (15 ml) de farine
- Sel et poivre du moulin
- 1 filet d'huile végétale pour
  la friture
- 5 c. à soupe (75 ml) de yogourt
  nature
- 1/2 c. à soupe (7,5 ml)
  de ciboulette ciselée
- 1/2 c. à soupe (7,5 ml) d'échalotes
  hachées
- 1 c. à soupe (15 ml) de jus de citron
- 4 à 6 tranches de saumon
  fumé divisées en deux

PRÉPARATION
1. Peler et râper le plus finement possible les pommes de terre.
2. Dans un bol, déposer le jaune d'œuf et les pommes de terre. Saupoudrer de farine et assaisonner de sel et de poivre. Bien mélanger.

3. Dans une poêle antiadhésive, verser un filet d'huile et faire revenir de petits amas de pommes de terre. Faire cuire des deux côtés jusqu'à coloration.
4. Dans un bol, déposer le yogourt, la ciboulette et l'échalote. Verser le jus de citron et assaisonner.
5. Sur chacun des blinis, déposer une petite quantité de yogourt parfumé.
6. Placer le saumon fumé en forme de rosace et servir.

SUGGESTION DE VIN
Canada, Vallée de l'Okanagan,
Chenin blanc, Quail's Gate 2011
Code SAQ : 11262920

4 À 6 PORTIONS
PRÉPARATION : 15 minutes
CUISSON : 5 minutes

Asperges au parmesan façon pain doré

VOICI UNE FAÇON UNIQUE ET ORIGINALE DE PRÉSENTER LES ASPERGES EN CANAPÉS. ROULÉES DANS LE PAIN DORÉ SALÉ, ELLES N'EN SERONT QUE PLUS SAVOUREUSES !

INGRÉDIENTS

- 8 à 12 tranches de pain de mie
- 8 à 12 asperges vertes
  ou blanches
- 1/4 tasse (60 ml) de lait
- 2 jaunes d'œufs
- 3 c. à soupe (45 ml) de parmesan
- Sel et poivre du moulin
- 2 c. à soupe (30 ml) de beurre

PRÉPARATION

1. À l'aide d'un rouleau à pâtisserie, aplatir les tranches de pain sur un plan de travail.

2. Faire pocher les asperges quelques minutes dans une casserole d'eau bouillante salée. Plonger les asperges dans l'eau glacée afin de garder leur croquant.

3. Dans un bol, verser le lait, les jaunes d'œufs et le parmesan. Battre le mélange et assaisonner.

4. Enrouler les asperges dans les tranches de pain en commençant par le bas de la tige.

5. Tremper rapidement les asperges au pain dans la préparation d'œufs.

6. Dans une poêle, faire fondre le beurre et cuire les asperges façon pain doré jusqu'à coloration.

SUGGESTION DE VIN
États-Unis, Napa Valley,
Fumé blanc, Mondavi 2010
Code SAQ : Z21887

101

Tartare de thon dans un citron

VOICI UNE RECETTE D'UNE GRANDE FRAÎCHEUR QUI SAURA ÉBLOUIR LES PLUS FINS PALAIS.
GAGNANT EN POPULARITÉ, LE TARTARE EST UNE VALEUR SÛRE POUR VOS SOIRÉES DU TEMPS DES FÊTES!

INGRÉDIENTS
- 4 à 6 citrons
- 1/2 à 3/4 lb (250 g à 350 g) de thon
- 1/2 échalote finement hachée
- 1 c. à soupe (15 ml) de ciboulette hachée
- 1 c. à thé (5 ml) de coriandre hachée
- Sel et poivre du moulin
- 1 filet d'huile d'olive
- Jus de 3 citrons

PRÉPARATION

1. Couper le quart supérieur de chaque citron pour faire un couvercle.
2. Vider l'intérieur des citrons et conserver le jus.
3. Hacher le thon et le déposer dans un bol avec l'échalote, la ciboulette et la coriandre.

4. Assaisonner de sel et de poivre. Verser un filet d'huile d'olive et le jus de citron et bien remuer.
5. Farcir chaque citron et refermer avec le couvercle.
6. Conserver au frais jusqu'au moment de servir.

SUGGESTION DE VIN
France, Petit Chablis,
Domaine Louis Moreau 2010
Code SAQ : 11035479

Huîtres Rockefeller sur cristaux de sel

CRÉÉES EN NOUVELLE-ORLÉANS PAR JULES ALCIATORE EN 1899, CES HUÎTRES PORTENT LE NOM D'UN CÉLÈBRE ET RICHISSIME PERSONNAGE, ET CE, À CAUSE DE LA RICHESSE DE LA SAUCE!

INGRÉDIENTS

- 24 à 36 huîtres ouvertes
- 3 tasses (750 ml) d'épinards frais
- 3 c. à soupe (45 ml) de beurre
- Sel et poivre du moulin
- 1 branche de céleri finement émincée
- 2 échalotes émincées
- 3 gousses d'ail hachées
- 3 c. à soupe (45 ml) de persil haché
- 2 c. à soupe (30 ml) de boisson anisée (Ricard ou pastis)
- Quelques gouttes de tabasco
- 2 c. à soupe (30 ml) de sauce Worcestershire
- 6 anchois à l'huile hachés
- 3/4 tasse (180 ml) d'emmental râpé
- 1/4 tasse (60 ml) de chapelure
- Gros sel pour la présentation

PRÉPARATION

1. Conserver les huîtres ouvertes avec leur eau au frais.

2. Faire revenir dans un poêlon les feuilles d'épinards avec le beurre et assaisonner.

3. Ajouter le céleri et les échalotes ainsi que l'ail et le persil.

4. Remuer et parfumer avec la boisson anisée, le tabasco et la sauce Worcestershire.

5. Incorporer les anchois hachés et bien mélanger. Assaisonner de sel et de poivre.

6. Sur chacune des huîtres, déposer un petit dôme de la préparation. Parsemer d'emmental et terminer avec la chapelure.

7. Faire cuire les huîtres sur une plaque à cuisson sous le gril du four de 8 à 10 minutes.

8. Présenter les huîtres gratinées sur des cristaux de gros sel.

SUGGESTION DE VIN
États-Unis, Californie, Sonoma, fumé blanc, Château St-Jean 2011
Code SAQ : 897199

4 À 6 PORTIONS
PRÉPARATION : 20 minutes
CUISSON : 20 minutes
TEMPS DE REPOS : 1 heure

Bouchons de foie gras, pousses d'herbes

VOICI UNE VERSION SALÉE DE LA FAMEUSE CRÈME BRÛLÉE, QUI DONNE AU FOIE GRAS
DES AIRS ENCORE PLUS DÉCADENTS! VOS INVITÉS SERONT CONQUIS.

INGRÉDIENTS

- 3 jaunes d'œufs
- 1 tasse (250 ml) de crème 35 %
- Sel et poivre du moulin
- 1 tasse (200 g) de foie gras
  de canard cru
- 1/3 tasse (80 ml) de sucre
  pour caraméliser
- 1/4 tasse (60 ml) de feuilles
  d'estragon
- 1/4 tasse (60 ml) de ciboulette
  coupée en bâtonnets
- 1/2 tasse (125 ml) de cerfeuil
- Quelques gouttes de jus
  de citron
- 1 filet d'huile d'olive

PRÉPARATION

1. Déposer les jaunes d'œufs
dans un bol.
2. Verser la crème dans une
casserole et faire chauffer.
Dès l'ébullition, retirer du feu.
3. Verser la crème chaude sur les
œufs et fouetter énergiquement.
4. Remettre la préparation dans
la casserole, assaisonner et faire
cuire à feu moyen.
5. Remuer continuellement et
retirer quand la crème nappe
suffisamment une cuillère.
6. Déposer le foie gras et la crème
épaissie dans un bol et mélanger.

7. Passer la préparation
dans une passoire.
8. Verser le mélange dans des
ramequins et faire cuire au
bain-marie dans un four à 250 °F
(120 °C) pendant 45 minutes.
9. Laisser reposer les crèmes de
foie gras avant de les faire caraméliser à l'aide d'une torche à souder
et d'un peu de sucre.
10. Confectionner la petite salade
d'herbes et assaisonner de jus de
citron et d'huile d'olive. Déposer
un dôme de verdures sur chacune
des crèmes brûlées.

SUGGESTION DE VIN
Espagne, Andalousie,
Fino Xérès, Tio Pepe
Code SAQ : 242669

4 À 6 PORTIONS
PRÉPARATION : 30 minutes
CUISSON : 40 minutes

Pétoncles rôtis au lait de chou-fleur et pommes vertes

PAUVRE EN ACIDES GRAS SATURÉS MAIS RICHE EN OMÉGA-3, LE PÉTONCLE SE CONSOMME SANS CULPABILITÉ. AVEC UN LAIT DE CHOU-FLEUR, IL N'EN SERA QUE PLUS EXQUIS!

INGRÉDIENTS

- 1 petit chou-fleur
- 4 tasses (1 litre) de lait
- Sel et poivre du moulin
- 1 c. à soupe (15 ml) de parmesan râpé
- 2 c. à soupe (30 ml) de beurre
- 4 à 6 gros pétoncles
- 2 pommes vertes Granny Smith avec la peau
- Quelques feuilles d'estragon

PRÉPARATION

1. Rincer le chou-fleur, le couper en morceaux et le faire cuire dans une grande casserole d'eau bouillante.
2. Retirer le chou-fleur une fois cuit et le placer dans une autre casserole; continuer la cuisson en recouvrant avec le lait. Au besoin, compléter avec de l'eau de cuisson. Saler, poivrer et laisser mijoter.
3. Incorporer le parmesan râpé, 1 c. à soupe de beurre et passer au mélangeur afin d'obtenir un velouté de lait de chou-fleur.

4. Faire saisir les pétoncles dans une poêle avec une noisette de beurre.
5. Verser le velouté dans des assiettes creuses. Déposer dans chaque assiette un pétoncle rôti.
6. Confectionner des petits bâtonnets de pommes vertes et les placer sur les pétoncles.
7. Terminer avec quelques feuilles d'estragon.

SUGGESTION DE VIN
Canada, Vallée de l'Okanagan, Five Vineyards, Pinot Blanc, Mission Hill 2011
Code SAQ : 300301

Lait de poule au jus de viande et jambon de Noël

VOILÀ UN ENTREMETS QUI VOUS RAPPELLERA CERTAINEMENT DES SOUVENIRS.
UN CLASSIQUE GÉNÉRALEMENT SUCRÉ QUE J'AI REVISITÉ EN VERSION SALÉE. BONNE DÉGUSTATION!

INGRÉDIENTS
- 4 à 6 œufs
- 3/4 tasse (180 ml) de lait
- 1/4 tasse (60 ml) de jus de viande
- Sel et poivre du moulin
- 1/2 tasse (125 ml) de petits cubes de jambon

PRÉPARATION
1. Découper les chapeaux des œufs. Les vider de leur blanc et de leur jaune.
2. Rincer l'intérieur des coquilles et les déposer sur un papier absorbant pour les faire sécher.
3. Dans une casserole, verser le lait et le jus de viande. Porter à ébullition. Ajouter les œufs et battre énergiquement. Assaisonner de sel et poivre.
4. Dans chacune des coquilles, déposer quelques cubes de jambon froid et remplir avec le lait de poule bien moussant.
5. Servir dans un joli coquetier.

SUGGESTION DE VIN
France, Arbois, Crémant du Jura, Domaine Tissot
Code SAQ : 11456492

4 À 6 PORTIONS
PRÉPARATION : 20 minutes
CUISSON : 10 minutes

Brie cuit au four au crumble de poires et épices

QUOI DE MIEUX POUR TERMINER LA SOIRÉE QU'UN BON FROMAGE FONDANT, LÉGÈREMENT SUCRÉ ET ÉPICÉ? LES GOURMANDS SERONT RAVIS!

INGRÉDIENTS

- 1 poire
- 1 c. à thé (5 ml) de miel
- 1 c. à soupe (15 ml) de vinaigre blanc ou rouge
- 1/2 c. à thé (2,5 ml) de mélange de cinq épices
- 2 c. à soupe (30 ml) d'amandes grillées concassées
- 1 fromage brie

PRÉPARATION

1. Peler, épépiner et couper la poire en petits morceaux. Déposer dans une poêle et verser le miel. Faire revenir jusqu'à coloration et déglacer avec le vinaigre.

2. Ajouter le mélange d'épices et les amandes. Remuer.

3. Déposer le fromage sur une feuille de papier d'aluminium et le border avec le papier comme pour confectionner un moule à tarte.

4. Déposer la préparation de poires aux épices sur le fromage et faire cuire au four à 350 °F (175 °C) pendant 10 minutes.

5. Servir avec des craquelins.

SUGGESTION DE VIN
France, Alsace, Métiss,
Domaine Bott-Geyl 2009
Code SAQ : 10789800

4 À 6 PORTIONS
PRÉPARATION : 15 minutes
CUISSON : 10 minutes

Bonbons de langoustines
en robe de phyllo et de basilic

ON PRÉPARE HABITUELLEMENT LA LANGOUSTINE AVEC DU BEURRE À L'AIL.
MAIS LA VOICI EN VERSION PLUS CHIC, AVEC SA ROBE DE PHYLLO ET DE BASILIC.

INGRÉDIENTS

- 1/4 tasse (60 ml) de beurre
- 8 à 12 queues de langoustines décortiquées
- 1 rouleau de pâte phyllo
- 16 à 24 feuilles de basilic
- Sel et poivre du moulin

PRÉPARATION

1. Faire fondre le beurre à petit feu dans une casserole.

2. Retirer la casserole du feu et incorporer les langoustines pour les faire pocher dans le beurre.

3. Confectionner des petits carrés de 4 po sur 4 po avec la pâte phyllo.

4. Retirer les langoustines du beurre, les assaisonner et les chemiser avec deux feuilles de basilic afin de les recouvrir complètement.

5. Enrouler les langoustines au basilic dans la pâte phyllo. Beurrer légèrement la surface.

6. Déposer sur une plaque à cuisson et cuire dans un four à 350 °F (175 °C), pendant 10 minutes ou jusqu'à coloration.

SUGGESTION DE VIN
France, Coteaux du Languedoc, Arpège, Château Rouquette sur Mer 2010
Code SAQ : 11367481

4 À 6 PORTIONS
PRÉPARATION : 20 minutes
CUISSON : 35 minutes

Tarte à l'oignon gratinée et au chèvre frais

SOUVENT UTILISÉ POUR AROMATISER LES PLATS, L'OIGNON EST ICI ROI ET MAÎTRE. CE LÉGUME VIEUX COMME LE MONDE N'EST JAMAIS TOMBÉ DANS L'OUBLI ET JUMELÉ AU FROMAGE DE CHÈVRE, IL N'EN SERA QUE PLUS APPRÉCIÉ !

INGRÉDIENTS

- 1 fond de tarte à pâte brisée ou feuilletée
- 1 filet d'huile d'olive
- 2 c. à soupe (30 ml) de beurre
- 3 gros oignons jaunes finement émincés
- Sel et poivre du moulin
- 1/2 tasse (125 ml) de crème 35 %
- 2 jaunes d'œufs
- 1 c. à soupe (15 ml) de ciboulette ciselée
- 2 c. à soupe (30 ml) de fromage de chèvre frais
- 1/3 tasse (80 ml) de gruyère râpé

PRÉPARATION

1. Beurrer un plat à tarte et y déposer le fond de pâte brisée ou feuilletée.

2. Dans un poêlon, verser un filet d'huile d'olive et le beurre. Incorporer les oignons et faire colorer. Assaisonner.

3. Dans un bol, verser la crème et les jaunes d'œufs. Battre, saler et poivrer.

4. Ajouter la préparation de crème aux oignons caramélisés. Laisser mijoter quelques instants et disposer le tout dans le plat à tarte.

5. Parsemer de ciboulette, de quelques morceaux de chèvre frais et recouvrir de gruyère râpé.

6. Faire cuire la tarte à l'oignon dans un four à 400 °F (200 °C) pendant 35 minutes.

SUGGESTION DE VIN
France, Bourgogne, Chardonnay
Jurassique, Jean-Marc Brocard 2010
Code SAQ : 11459087

4 À 6 PORTIONS
PRÉPARATION : 25 minutes
CUISSON : 20 minutes

Portobellos au canard confit, chèvre gratiné

UNE BELLE ENTRÉE DIGNE D'UNE GRANDE SOIRÉE DE NOËL. LE PARFUM DU PORTOBELLO, LA TEXTURE CONFITE DU CANARD ET LE GOÛT DU CHÈVRE FONT DE CE PLAT UN DÉLICE SUR TOUTE LA LIGNE!

INGRÉDIENTS

- 1 filet d'huile d'olive
- 2 échalotes émincées
- Sel et poivre du moulin
- 1 tomate
- 1 courgette
- 2 cuisses de canard confites décortiquées
- 4 à 6 champignons portobellos
- 4 c. à soupe (60 ml) de chèvre frais ou 1 bûchette
- 1 c. à soupe (15 ml) de noix de pin grillées
- Quelques feuilles de roquette
- Quelques gouttes de vinaigre balsamique réduit

PRÉPARATION

1. Verser un filet d'huile d'olive dans une poêle et faire caraméliser les échalotes. Assaisonner.

2. Couper la tomate et la courgette en rondelles. Les faire revenir dans la poêle.

3. Déposer une portion de confit de canard dans chacun des portobellos préalablement nettoyés.

4. Diviser les légumes cuits sous chacun des champignons.

5. Placer des morceaux de chèvre et quelques noix de pin sur les champignons.

6. Faire cuire au four à 350 °F (175 °C) de 15 à 20 minutes.

7. Servir bien chaud avec quelques feuilles de roquette et parfumer de vinaigre balsamique.

SUGGESTION DE VIN
Espagne, Priorat, Embruix,
celler Vall Llach 2007
Code SAQ : 10508131

Poitrine de dinde en croûte de canneberges

ON NE PEUT PASSER LES FÊTES SANS DÉGUSTER AU MOINS UNE FOIS DE LA DINDE.
JE VOUS LA PRÉSENTE DÉJÀ DÉSOSSÉE, EN CROÛTE DE CANNEBERGES. AVEC LE ROUGE
DE CES PETITS FRUITS, ON NE PEUT FAIRE PLUS FESTIF!

INGRÉDIENTS

- 1 tasse (250 ml) de canneberges séchées
- 1 tasse (250 ml) de chapelure de pain
- 4 gousses d'ail hachées
- 1 échalote émincée
- 1/4 tasse (60 ml) de parmesan
- Sel et poivre du moulin
- 2 c. à soupe (30 ml) de beurre
- 2 c. à soupe (30 ml) de persil haché
- 2 à 3 poitrines de dinde
- 1 filet d'huile d'olive

PRÉPARATION

1. Hacher les canneberges et les déposer dans un bol avec la chapelure.

2. Incorporer l'ail et l'échalote ainsi que le parmesan. Remuer et assaisonner.

3. Ajouter le beurre et le persil haché. Mélanger la préparation afin d'obtenir une pâte homogène.

4. Placer les poitrines de dinde sur une plaque à cuisson. Les arroser d'un filet d'huile d'olive et les recouvrir du mélange de canneberges.

5. Faire cuire au four à 350 °F (175 °C) pendant 30 minutes.

6. Servir accompagné d'une purée de pommes de terre aux fines herbes.

SUGGESTION DE VIN
France, Juliénas, vieilles vignes, Domaine de Remont 2010
Code SAQ : 11399723

4 À 6 PORTIONS
PRÉPARATION : 30 minutes
CUISSON : 20 minutes

Gratin de fruits de mer et champignons sur coquille

PRÉSENTÉE DANS UNE COQUILLE, CETTE ENTRÉE SE FERA CERTAINEMENT REMARQUER SUR VOTRE TABLE! DE BONS FRUITS DE MER, DE SAVOUREUX CHAMPIGNONS ET UN MAGNIFIQUE FROMAGE SONT UN GAGE D'EXCELLENCE.

INGRÉDIENTS

- 3 c. à soupe (45 ml) de beurre
- 3 c. à soupe (45 ml) de farine
- 1 1/2 tasse (375 ml) de lait
- Sel et poivre du moulin
- 1/4 tasse (60 ml) de champignons café émincés
- 1 échalote émincée
- 1 filet d'huile d'olive
- 1/4 tasse (60 ml) de vin blanc
- 1/2 tasse (125 ml) de purée de pommes de terre
- 12 à 18 petits pétoncles
- 12 à 18 petites crevettes cuites et décortiquées
- 4 à 6 grosses coquilles Saint-Jacques vides
- 1/2 tasse (125 ml) d'emmental râpé

PRÉPARATION

1. Dans une casserole, faire fondre le beurre et incorporer la farine. Bien remuer et verser le lait. Remuer continuellement et assaisonner. Réserver la sauce béchamel.

2. Dans une poêle, faire revenir les champignons ainsi que l'échalote avec un filet d'huile d'olive. À coloration, déglacer avec le vin blanc.

3. À l'aide d'une poche à pâtisserie, confectionner une bordure de pommes de terre autour des coquilles.

4. Déposer 1 c. à soupe de sauce béchamel à l'intérieur de chaque coquille.

5. Déposer les pétoncles, les crevettes et les champignons sur la béchamel. Assaisonner.

6. Parsemer d'emmental râpé.

7. Cuire au four à 350 °F (175 °C) pendant 20 minutes.

SUGGESTION DE VIN
France, Banyuls, Cuvée Parcé Frères, Domaine de la Rectorie 2010
Code SAQ : 10322661

4 À 6 PORTIONS
PRÉPARATION: 20 minutes
CUISSON: 40 minutes

Tourtière au saumon à ma façon

QUOI DE MIEUX QU'UNE BONNE TOURTIÈRE DÉGUSTÉE EN FAMILLE. JE VOUS OFFRE MA VERSION
AU SAUMON AVEC DES ARÔMES D'ANETH QUI SAURA VOUS PLAIRE PAR SA RICHESSE!

INGRÉDIENTS

- 1 fond de tarte à pâte brisée
  ou feuilletée
- 2 c. à soupe (30 ml) de beurre
- 1 filet d'huile d'olive
- 4 échalotes émincées
- 1 lb (450 g) de pommes de terre
  épluchées
- 2/3 lb (300 g) de saumon cru en
  petits morceaux
- 2 c. à soupe (30 ml) d'aneth haché
- 1 œuf + 2 jaunes d'œufs
- 1 1/2 tasse (375 ml) de crème 35 %
- Sel et poivre du moulin

PRÉPARATION

1. Déposer le fond de la pâte à tourtière dans un plat à tarte.

2. Dans un poêlon, disposer le beurre ainsi qu'un filet d'huile d'olive. Faire revenir les échalotes. Couper finement les pommes de terre en rondelles et les incorporer.

3. Verser cette préparation dans le plat à tarte, recouvrir de saumon et parsemer d'aneth haché.

4. Dans un bol, battre l'œuf entier et un jaune d'œuf avec la crème. Assaisonner et verser sur le saumon.

5. Fermer la tourtière et presser les bords afin que celle-ci soit bien hermétique.

6. Badigeonner la tourtière avec un jaune d'œuf pour faire dorer.

7. Faire cuire dans un four préchauffé à 350 °F (175 °C), pendant environ 35 minutes.

SUGGESTION DE VIN
Grèce, Aegean Islands,
Atlantis, Domaine I.M. Argyros, 2011
Code SAQ : 11097477

113

4 À 6 PORTIONS
PRÉPARATION : 25 minutes
CUISSON : 50 minutes

Ragoût de boulettes de mon enfance

LA BEAUTÉ DE CE PLAT, C'EST QU'ON EST TOUS PERSUADÉS QU'IL EST PROCHE DE NOS RACINES.
POURTANT, IL N'EST PAS UN PAYS QUI N'A PAS SA RECETTE DE RAGOÛT DE BOULETTES !

INGRÉDIENTS

- 1 lb (450 g) de porc haché
- 1 lb (450 g) de bœuf haché
- 2 échalotes finement hachées
- 3 c. à soupe (45 ml) de persil haché
- Sel et poivre du moulin
- 1/4 tasse (60 ml) de lait tiède
- 4 gousses d'ail hachées
- 2 tranches de pain de mie
- 2 œufs
- 1 pincée de cannelle
- 1 pincée de noix de muscade
- 1 oignon jaune haché
- 1 filet d'huile d'olive
- 1 pincée d'herbes de Provence
- 1 tasse (250 ml) de champignons de Paris coupés en quartiers
- 2 c. à soupe (30 ml) de concentré de tomate
- 6 tomates concassées et émondées
- 1 tasse (250 ml) d'olives vertes dénoyautées

PRÉPARATION

1. Dans un grand bol, déposer le porc et le bœuf, les échalotes et le persil haché. Assaisonner et remuer.

2. Dans un autre bol, verser le lait. Ajouter l'ail ainsi que le pain de mie. Écraser avec une fourchette et incorporer les œufs, la cannelle et la muscade.

3. Additionner les 2 préparations, rectifier l'assaisonnement et confectionner des boulettes.

4. Dans un poêlon, faire revenir les oignons avec un filet d'huile d'olive. Ajouter les herbes de Provence et les champignons.

5. À coloration, incorporer le concentré de tomate ainsi que les tomates concassées.

6. Dans une poêle, faire revenir avec un filet d'huile d'olive les boulettes de viande et les faire colorer sur toute la surface. Les ajouter dans la sauce tomate.

7. Incorporer les olives et ajouter de l'eau pour couvrir les boulettes. Laisser mijoter à feu doux pendant 45 minutes.

SUGGESTION DE VIN
Italie, Trentin-Haut-Adige,
Teroldego Rotaliano, Foradori 2009
Code SAQ : 712695

4 À 6 PORTIONS
PRÉPARATION : 15 minutes
CUISSON : 30 minutes

Filet de saumon cuit sur foin au saké

SUCCULENT AVEC UNE PETITE SAUCE À LA CRÈME ET DES FINES HERBES, AINSI QU'UN RIZ PARFUMÉ.

INGRÉDIENTS
- 2 lb (1 kg) de foin
- 1 carotte émincée
- 1 branche de céleri ciselée
- 1 poireau émincé
- 1 échalote émincée
- 4 à 6 pavés de saumon d'environ 150 g chacun
- 1 tasse (250 ml) de saké
- Sel et poivre du moulin
- 1 filet d'huile d'olive

PRÉPARATION

1. Déposer une botte de foin à 3/4 de hauteur au fond d'un profond poêlon à couvercle.

2. Mélanger tous les légumes dans un bol et les disposer sur le foin.

3. Placer les pavés de saumon sur les légumes sans les coller les uns aux autres.

4. Refermer le couvercle du poêlon. Faire chauffer à feu moyen sur le poêle ou directement sur un barbecue pendant 15 minutes.

5. Soulever le couvercle, verser le saké au fond du poêlon et refermer aussitôt pour que la vapeur d'alcool puisse s'infuser dans la chair du poisson. Laisser cuire à couvercle fermé de 10 à 15 minutes. Retirer, assaisonner et servir aussitôt nappé d'un filet d'huile d'olive..

À BOIRE
États-Unis, Californie,
Sake Black & Gold, Gekkeikan
Code SAQ : 10311662

4 À 6 PORTIONS
PRÉPARATION : 20 minutes
CUISSON : 2 heures
RÉFRIGÉRATION : 1 à 2 heures

Paleron de bœuf braisé en cocotte luttée

CE PLAT TRÈS RÉCONFORTANT VOUS PERMETTRA D'ÊTRE PRÉSENT AUTOUR DE LA TABLE
POUR LE DÉGUSTER AVEC LA FAMILLE OU LES AMIS, SANS AUCUNE PRESSION EN CUISINE.
IL EST PARFAIT SERVI AVEC DES POMMES DE TERRE GRELOTS DE DIFFÉRENTES COULEURS.

INGRÉDIENTS

- 1 kg de paleron de bœuf coupé en cubes
- Sel et poivre du moulin
- 2 gousses d'ail écrasées
- 1 branche de thym
- 1 bouteille (750 ml) de vin blanc
- 1 filet d'huile d'olive
- 2 carottes coupées en rondelles
- 1 bulbe de céleri-rave coupé en morceaux
- 2 oignons émincés
- 1 branche de céleri émincée
- 1 c. à soupe (15 ml) de pâte de tomate
- 2 tomates concassées et émondées
- 1/2 chou vert émincé
- 1 pâte feuilletée coupée en lanières

PRÉPARATION

1. Dans un bol, déposer les cubes de bœuf et les assaisonner de sel et de poivre. Ajouter l'ail et le thym. Verser le vin blanc. Laisser reposer 1 à 2 heures au frais.

2. Dans un grand poêlon, faire revenir avec un filet d'huile d'olive les carottes, le céleri-rave, les oignons et le céleri.

3. Retirer les légumes du poêlon et faire revenir le bœuf égoutté. Conserver la marinade.

4. À coloration de la viande, ajouter la pâte de tomate et les tomates concassées. Incorporer les légumes et verser la marinade avec la branche de thym.

5. Ajouter les feuilles de chou émincées et recouvrir d'eau.

6. Couvrir et laisser mijoter à feu doux pendant 2 heures.

7. Une fois le bœuf cuit, fermer le poêlon avec une lanière de pâte feuilletée.

8. Placer le poêlon scellé avec le feuilletage dans un four à 400 °F (200 °C), de 20 à 30 minutes.

9. Placer le plat au centre de la table et ne l'ouvrir qu'au moment de servir.

SUGGESTION DE VIN
France, Sud-Ouest, Le vin Noir,
Vignerons du Brulhois 2007
Code SAQ : 11154822

Raviole ouverte de homard
à la crème de champignons

CETTE RECETTE EST IDÉALE POUR UN MENU DE CÉLÉBRATION;
AUSSI BIEN POUR UNE BELLE ENTRÉE QUE POUR UN PLAT EN SOI.

INGRÉDIENTS

- 2 homards pochés et décortiqués
- 2 c. à soupe (30 ml) de beurre
- Sel et poivre du moulin
- 2 tasses (500 ml) d'épinards
- 8 carrés de pâtes fraîches pour lasagne
- 1 filet d'huile d'olive
- 1/2 tasse (125 ml) de champignons shiitakes frais en quartiers
- 1 gros champignon portobello émincé
- 2 échalotes émincées
- 1/4 tasse (60 ml) de vin blanc
- 2 tasses (500 ml) de crème 15 %
- Quelques gouttes d'huile de truffe (facultatif)

PRÉPARATION

1. Couper le homard en médaillons et le faire revenir dans une casserole avec une noisette de beurre. Assaisonner et ajouter les épinards. Faire cuire le tout.

2. Dans une casserole d'eau bouillante salée, faire cuire les pâtes fraîches.

3. Dans un poêlon, faire revenir, avec une noisette de beurre et un filet d'huile d'olive, les shiitakes, le portobello et les échalotes. À coloration, déglacer avec le vin blanc.

4. Verser la crème et laisser mijoter. Assaisonner.

5. Passer la crème et les champignons au mélangeur pour obtenir une sauce bien parfumée. On peut ajouter quelques gouttes d'huile de truffe.

6. Placer un carré de pâte dans une assiette creuse. Déposer une portion de homard aux épinards. Refermer avec une 2ᵉ couche de pâte et napper de la sauce aux champignons.

SUGGESTION DE VIN
Canada, Péninsule du Niagara,
Village Reserve Chardonnay,
Le Clos Jordanne 2008
Code SAQ : 11254031

4 À 6 PORTIONS
PRÉPARATION : 30 minutes
CUISSON : 2 h 15
RÉFRIGÉRATION : 12 heures

Cuisses de canard confites aux zestes d'orange, sauce canneberges

CE PLAT DE CONFIT DE CANARD S'ACCORDERA À MERVEILLE AVEC DES FÈVES, DES POMMES DE TERRE OU DE LA SALADE FRISÉE. IL SAURA VOUS SURPRENDRE, CAR AVEC LES RESTES, VOUS POURREZ CONFECTIONNER UN FABULEUX PÂTÉ CHINOIS.

INGRÉDIENTS

- 2 branches de thym
- 2 branches de romarin
- 2 gousses d'ail hachées
- 2 c. à soupe (30 ml) de poivre en grains concassé
- 4 à 6 cuisses de canard
- 1 tasse (250 ml) de gros sel
- 6 tasses (1,5 L) de gras de canard
- 1 c. à soupe (15 ml) de beurre
- Le zeste de 2 oranges
- 1/2 tasse (125 ml) de canneberges séchées
- Le jus de 1 orange
- 1 tasse (250 ml) de fond de gibier
- Sel et poivre du moulin

PRÉPARATION

1. Hacher le thym et le romarin. Ajouter l'ail et le poivre. Frotter ce mélange sur toute la surface des cuisses de canard.

2. Déposer les cuisses dans un plat, verser le sel, bien mélanger et laisser reposer 12 heures au frais.

3. Rincer le canard à l'eau fraîche et assécher avec un papier absorbant.

4. Dans un grand poêlon, déposer le gras de canard et faire chauffer sans qu'il atteigne l'ébullition. Incorporer le zeste d'orange et le canard, et laisser cuire doucement afin que les cuisses puissent confire pendant 2 heures.

5. Dans une casserole, déposer une noisette de beurre et faire revenir délicatement les canneberges séchées. Déglacer avec le jus d'orange et verser le fond de gibier. Rectifier l'assaisonnement et laisser mijoter la sauce.

6. Retirer les cuisses du gras de canard avant de servir. Napper de sauce.

SUGGESTION DE VIN
Nouvelle-Zélande, Wairarapa, Pinot noir, Margrain Martinborough 2009
Code SAQ : 1038326

4 À 6 PORTIONS
PRÉPARATION : 25 minutes
CUISSON : 40 minutes

Gratin de légumes-racines

JE VOUS SUGGÈRE DE SERVIR CE GRATIN COMME ACCOMPAGNEMENT DE VOS PLATS DES FÊTES. QU'ILS ACCOMPAGNENT UN POISSON, UNE VOLAILLE OU UN GIBIER, LES LÉGUMES-RACINES SAURONT ÉBLOUIR VOS CONVIVES.

INGRÉDIENTS
- 1 jaune d'œuf
- 4 gousses d'ail hachées
- 1 1/2 tasse (375 ml) de lait
- 1 1/2 tasse (375 ml) de crème 10 % à cuisson
- Sel et poivre du moulin
- 1/2 courge musquée pelée et finement tranchée
- 1 bulbe de céleri-rave pelé et finement tranché
- 6 panais pelés et coupés en fines rondelles
- 1/2 tasse (125 ml) de parmesan râpé

PRÉPARATION

1. Dans un bol, déposer le jaune d'œuf et l'ail. Verser le lait et la crème. Assaisonner et bien mélanger à l'aide d'un fouet.

2. Dans un plat à gratin, déposer les tranches de courge. Recouvrir avec une couche de céleri-rave et terminer avec une couche de panais.

3. Renouveler l'opération jusqu'à épuisement des légumes.

4. Verser la préparation de lait et de crème sur les légumes. Parsemer de parmesan.

5. Cuire au four pendant 40 minutes à 350 °F (175 °C).

SUGGESTION DE VIN
France, Arbois, Chardonnay, Stéphane Tissot 2010
Code SAQ : 11194701

119

6 PORTIONS
PRÉPARATION : 15 minutes
CUISSON : 40 minutes

Les secrets d'une bonne dinde réussie

J'AI RENCONTRÉ POUR VOUS UN GRAND BOUCHER, MON AMI YVES BEAUDRY.
IL DÉCRIT TOUTES LES ÉTAPES IMPORTANTES DE LA CUISSON DE LA DINDE DE NOËL.
NUL DOUTE QU'AVEC CES PRÉCIEUX CONSEILS, VOS INVITÉS EN REDEMANDERONT...

PRÉPARATION

1. Nettoyer la dinde à l'intérieur et à l'extérieur.
2. Préchauffer le four à 350 °F (175 °C).
3. Déposer la dinde dans une rôtissoire et la farcir d'un mélange composé de 50 % de porc haché, 50 % de veau haché, d'une tranche de pain de mie trempée dans du lait, d'estragon haché, de quelques marrons entiers, de 2 œufs, de sel et de poivre.
4. Arroser la dinde d'un filet d'huile d'olive et la badigeonner de beurre sur toute la surface.
5. Verser un litre de bouillon de volaille dans le fond de la rôtissoire.
6. Arroser très souvent la peau de la dinde. La cuisson en sera meilleure et la peau sera plus croustillante.
7. Servir chaud dans un plat de présentation au centre de la table.

Conseil d'Yves Beaudry :
Tout d'abord, les dindes les plus savoureuses sont celles qui pèsent plus de 11 lb. La cuisson est également un élément de réussite. Le four doit être préchauffé à 350 °F (175 °C). On comptera 2 heures de cuisson pour une dinde de 4 kg, 3 heures pour une dinde qui pèse environ 7 kg, et près de 4 heures pour les dindes pouvant atteindre 10 kg. Il est important de savoir que la chair de la dinde est plus sèche que celle des autres volailles. On doit donc éviter les cuissons trop élevées pour prévenir l'assèchement. On dépose la dinde dans une rôtissoire et on l'arrose fréquemment de jus de braisage. Il est préférable de protéger le haut des cuisses et les filets avec quelques feuilles d'aluminium.

CONSEIL DE JÉRÔME

Il est important de savoir qu'une dinde farcie cuira plus longtemps que si elle ne l'était pas. Je vous recommande fortement de vérifier la solidité des cuisses de la dinde, car celles-ci pourraient s'affaisser légèrement. C'est un indice de bonne cuisson. Et si vous disposez d'un thermomètre à cuisson, 175 °F (80 °C) indiqueront une cuisson parfaite à cœur.

SUGGESTION DE VIN
France, Moulin-à-Vent,
Terres Dorées, Jean-Paul Brun 2010
Code SAQ : 10837331

4 À 6 PORTIONS
PRÉPARATION : 15 minutes
CUISSON : 10 minutes
RÉFRIGÉRATION : 10 à 15 minutes

Crumble de chèvre aux pistaches et canneberges

CES PETITES GOURMANDISES FROMAGÈRES PEUVENT ÊTRE SERVIES AU CENTRE D'UNE TABLE GARNIE DE HORS-D'ŒUVRE, AUTOUR D'UN BON VIN OU COMME FROMAGE CUISINÉ LORS DES GRANDES SOIRÉES DE FÊTE, AVEC DE PETITS CROÛTONS GRILLÉS ET DES FIGUES FRAÎCHES.

INGRÉDIENTS

- 1 tasse (250 ml) de fromage de chèvre
- 1 filet d'huile d'olive
- 1 c. à soupe (15 ml) de basilic haché
- Sel et poivre du moulin
- 1/4 tasse (60 ml) de pistaches décortiquées et grillées
- 1/4 tasse (60 ml) de canneberges séchées
- 1 c. à soupe (15 ml) de miel
- 3 c. à soupe (45 ml) de beurre
- 1/4 tasse (60 ml) de chapelure de pain

PRÉPARATION

1. Dans un bol, déposer le fromage de chèvre, un filet d'huile d'olive ainsi que le basilic haché. Assaisonner de sel et de poivre et remuer.
2. Répartir la préparation de chèvre dans des ramequins. Aplatir la surface à l'aide d'une cuillère.

3. À l'aide d'un robot culinaire, mélanger les pistaches et les canneberges en petits morceaux.
4. Incorporer le miel, le beurre et la chapelure. Bien mélanger.
5. Ajouter la préparation de pistaches et de canneberges sur le fromage et laisser reposer de 10 à 15 minutes au frais.
6. Cuire au four pendant 10 minutes, à 350 °F (175 °C).

SUGGESTION DE VIN
Québec, le Blanc, L'Orpailleur 2009
Code SAQ : 704221

4 À 6 PORTIONS
PRÉPARATION : 20 minutes
CUISSON : 2 heures

Confiture de Noël

CETTE CONFITURE À BASE D'AGRUMES SAURA ENSOLEILLER VOS PETITS DÉJEUNERS D'HIVER
ET VOUS PROCURERA UN PEU DE CHALEUR...

INGRÉDIENTS
- 1 pamplemousse rose
- 2 oranges
- 1 citron
- 1 lime
- 3 mandarines
- 3 lb (1,5 kg) de sucre
- 4 tasses (1 litre) d'eau
- 1 1/2 tasse (375 ml)
  d'amandes entières

PRÉPARATION

1. Rincer tous les fruits à l'eau froide avec leur peau et les faire sécher.
2. Peler les fruits et émincer les écorces en fines lanières ou en petits morceaux réguliers.
3. Passer au mélangeur la chair de tous les fruits et filtrer. Conserver le jus de fruits.
4. Dans une grande casserole, déposer le sucre, l'eau et l'écorce des fruits. Porter à ébullition.

5. Quand la préparation commence à épaissir, ajouter le jus de fruits et laisser mijoter pour bien confire.
6. Lorsque la préparation est à l'état de gelée, la retirer du feu et incorporer les amandes.
7. Remplir des petits pots, fermer et retourner pour chasser l'air.
8. Conserver la confiture de Noël à température ambiante.

SUGGESTION DE VIN
France, Alsace Grand Cru Brand, gewurztraminer, Albert Boxler 2009
Code SAQ : 11698619

6 PORTIONS
PRÉPARATION : 45 minutes
CUISSON : 15 minutes
MARINADE : 12 heures
CONGÉLATION : 1 journée

Choco-loco aux notes d'agrumes et caramel

VOICI LA BÛCHE DE NOËL QUE J'AI CRÉÉE ET QUE JE PARTAGE AVEC VOUS.

INGRÉDIENTS

- 1 1/2 tasse (375 ml) de sucre
- 1/2 tasse (125 ml) de beurre
- 1 tasse (250 ml) de crème 35 % montée en chantilly
- 3 tasses (750 ml) de crème 35 %
- L'écorce de 2 oranges*
- 2 tasses (500 ml) de chocolat au lait
- 1 bande de gâteau génoise coupée en rectangle
- Quelques décorations de bûche de votre choix

* La veille de la préparation, faire macérer au frigo les écorces d'oranges dans 3 tasses de crème 35 %.

PRÉPARATION

1. Dans une casserole, déposer le sucre. Cuire à feu doux sans ajouter d'eau pour obtenir un caramel à sec.

2. À coloration, ajouter le beurre et remuer énergiquement afin d'obtenir une préparation lisse et homogène.

3. Retirer la casserole du feu et incorporer en une seule fois la crème chantilly. Bien mélanger.

4. Retirer les écorces d'oranges qui ont macéré dans la crème. À l'aide d'un batteur, fouetter la crème.

5. Mélanger le chocolat au lait fondu à la préparation de caramel et de chantilly.

6. Laisser refroidir à température ambiante.

7. Mélanger les 2 préparations et remuer à l'aide d'une spatule.

8. Remplir un tube en PVC ou un moule à gâteau rectangulaire de la préparation et mettre le tout au congélateur une journée.

9. La veille ou le matin de votre repas, dégeler la bûche et confectionner votre propre décoration. Utiliser quelques copeaux de chocolat blanc, noir et au lait et des morceaux de caramel.

10. Servir votre bûche sur une fine bande de génoise qui pourra être imbibée de Grand Marnier.

SUGGESTION DE VIN
Maury, Cuvée Spéciale 10 ans,
Mas Amiel
Code SAQ : 11154785

4 À 6 PORTIONS
PRÉPARATION : 15 minutes
CUISSON : 35 minutes
RÉFRIGÉRATION : 1 heure

Pain d'épices

ORIGINAIRE DE LA CHINE ET AYANT PAR LA SUITE VOYAGÉ JUSQU'EN EUROPE, LE PAIN D'ÉPICES SE PRÉPARE AUJOURD'HUI DE MILLE ET UNE FAÇONS. UN INCONTOURNABLE DU TEMPS DES FÊTES!

INGRÉDIENTS

- 3/4 tasse (180 ml) de beurre
- 1/3 tasse (80 ml) de cassonade
- 2 œufs
- 1 c. à soupe (15 ml) de poudre à pâte
- 1 1/4 tasse (310 ml) de farine
- 1 1/4 tasse (310 ml) de miel
- 1/2 tasse (125 ml) de lait
- 1 c. à thé (5 ml) de mélange cinq épices
- 1 c. à thé (5 ml) de cannelle

PRÉPARATION

1. Dans un robot, battre le beurre et la cassonade.
2. Incorporer les œufs et bien mélanger.
3. Dans un bol, mélanger la poudre à pâte et la farine. Ajouter dans le robot.
4. Verser le miel et mélanger. Terminer avec le lait. Mélanger jusqu'à obtention d'une préparation homogène.
5. Parfumer avec les épices et déposer la pâte dans un moule à gâteau. Laisser reposer 1 heure avant de cuire.
6. Dans un four préchauffé à 350 °F (175 °C), faire cuire le pain pendant 35 minutes.
7. Attendre qu'il soit froid avant de le trancher.

À BOIRE
États-Unis, Liqueur de Miel,
Jack Daniel's
Code SAQ : 11607684

4 À 6 PORTIONS
PRÉPARATION : 15 minutes
CUISSON : 10 minutes

Petits rochers au chocolat au lait

VOICI LE MOMENT DES GOURMANDISES! À PARTAGER SANS RETENUE AVEC VOS CONVIVES À LA FIN DU REPAS. LE CÔTÉ CROQUANT DU RIZ SOUFFLÉ ET DES AMANDES ET LA DOUCEUR DU CHOCOLAT RÉVÈLENT UN MATCH PARFAIT!

INGRÉDIENTS

- 2 tasses (500 ml) de chocolat au lait
- 2 tasses (500 ml) de bâtonnets d'amandes grillées
- 1 tasse (250 ml) de riz soufflé

PRÉPARATION

1. Faire fondre le chocolat dans un bain-marie. Le laisser refroidir à température ambiante.
2. Incorporer les bâtonnets d'amandes ainsi que le riz soufflé et remuer.

3. À l'aide d'une cuillère, déposer de petites bouchées de rochers sur un papier parchemin ou antiadhésif.
4. Laisser reposer les rochers à température ambiante, puis les conserver au frais dans une boîte.

À BOIRE
États-Unis, Crème au chocolat blanc, Godiva, Code SAQ : 10228421

ENVIRON 10 PORTIONS
PRÉPARATION : 25 minutes
CUISSON : 10 minutes
RÉFRIGÉRATION : quelques heures

Truffes au Grand Marnier

LES CHOCOLATS ALCOOLISÉS SONT DE GRANDS FAVORIS DU TEMPS DES FÊTES. ILS APPORTENT UN CÔTÉ ENCORE PLUS FESTIF AUX GRANDES SOIRÉES. ON NE PEUT ÉVIDEMMENT PAS OUBLIER LES TRUFFES, SI FACILES À PRÉPARER... ET SI VITE DÉGUSTÉES!

INGRÉDIENTS

- 2 tasses (500 ml) de crème 35 %
- 2 tasses (500 ml) de chocolat noir 70 %
- 2 c. à soupe (30 ml) de beurre
- Quelques gouttes de Grand Marnier
- 1 tasse (250 ml) de cacao amer en poudre

PRÉPARATION

1. Verser la crème dans une casserole et porter à ébullition.
2. Déposer le chocolat dans un bol et verser la crème bien chaude. Remuer avec une spatule.
3. Quand la préparation de chocolat est tiède, incorporer le beurre et bien mélanger.
4. Ajouter quelques gouttes de Grand Marnier au goût.
5. Laisser reposer la préparation de ganache au frais pendant quelques heures.
6. Confectionner de petites boules et enrober les truffes dans le cacao. Conserver au frais.

À BOIRE
France, Cordon Rouge,
Grand Marnier
Code SAQ : 00001784

4 À 6 PORTIONS
PRÉPARATION : 20 minutes
CUISSON : 10 minutes

Petit pot de mousse de foie de volaille en gelée de porto

VOICI UN CADEAU CHIC ET DE BON GOÛT POUR VOS HÔTES. CETTE MOUSSE EST TELLEMENT POPULAIRE QU'IL EST PRESQUE DEVENU UNE TRADITION D'EN DÉGUSTER DURANT CETTE PÉRIODE DE CÉLÉBRATIONS!

INGRÉDIENTS

- 1/2 lb (225 g) de foies blonds de volaille
- 3 échalotes ciselées
- 1 filet d'huile d'olive
- 3 c. à soupe (45 ml) de cognac
- 1 tasse (200 g) de beurre
- Sel et poivre du moulin
- 1/4 tasse (60 ml) d'eau
- 1/2 tasse (125 ml) de porto
- 2 1/4 c. à thé (10 g) de gélatine en poudre non aromatisée

PRÉPARATION

1. Dans une poêle, faire revenir les foies de volaille et les échalotes avec un filet d'huile d'olive.

2. Cuire le tout jusqu'à coloration pendant 5 minutes et flamber avec le cognac. Retirer et déposer dans un mélangeur.

3. Ajouter le beurre et assaisonner avec le sel et le poivre. Mixer jusqu'à l'obtention d'une préparation mousseuse.

4. Remplir des petits pots et laisser reposer au frais.

5. Dans une casserole, verser l'eau et le porto. Ajouter la gélatine et bien mélanger. Porter à ébullition.

6. Recouvrir la mousse de foie avec la gelée au porto. Refermer les pots et conserver au frais.

SUGGESTION DE VIN
France, Rivesaltes, Hors d'Age, Vignerons Catalans 1974 (500 ml)
Code SAQ : 863258

4 À 6 PORTIONS
PRÉPARATION : 30 minutes
CUISSON : 55 minutes
REPOS : 15-20 minutes

Biscottis à la cannelle et au chocolat blanc

UN BON CAFÉ ET UN BON BISCOTTI : QUOI DE MIEUX À OFFRIR OU À S'OFFRIR LORS DES LONGUES SOIRÉES HIVERNALES ! UNE RECETTE TOUTE SIMPLE QUI FERA PLAISIR À COUP SÛR.

INGRÉDIENTS
- 3/4 tasse (180 ml) de beurre
- 1 tasse (250 ml) de sucre
- 1 c. à soupe (15 ml) de poudre à pâte
- 3 tasses (750 ml) de farine
- 3 œufs
- 1 c. à thé (5 ml) de cannelle moulue
- 1 tasse (250 ml) d'amandes entières
- 1 tasse (250 ml) de chocolat blanc fondu

PRÉPARATION
1. Dans un robot culinaire, battre le beurre et le sucre.
2. Dans un bol, mélanger la poudre à pâte et la farine.
3. Ajouter les œufs un à un au mélange de beurre et de sucre.
4. Incorporer la farine et la cannelle au beurre. Ne rien remuer et terminer par les amandes. Mélanger jusqu'à l'obtention d'une préparation homogène.
5. Confectionner un gâteau linéaire de 1 à 2 pouces (5 à 10 cm) de hauteur.
6. Déposer la préparation sur une plaque et faire cuire de 30 à 40 minutes à 350 °F (175 °C).
7. Laisser reposer le gâteau de 15 à 20 minutes.
8. À l'aide d'un couteau dentelé, couper des tranches d'environ 1 pouce (5 cm) de largeur.
9. Déposer les biscottis sur une plaque et remettre au four pendant 25 minutes.
10. Une fois les biscottis refroidis, les tremper à mi-hauteur dans le chocolat blanc fondu.

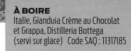

À BOIRE
Italie, Gianduia Crème au Chocolat
et Grappa, Distilleria Bottega
(servi sur glace)   Code SAQ : 11317185

4 À 6 PORTIONS
PRÉPARATION : 5 minutes
CUISSON : 2 heures

Dulce de leche à tartiner

L'ORIGINE DE CETTE CONFITURE DE LAIT EST DIFFICILE À DÉTERMINER ÉTANT DONNÉ QU'ON EN RETROUVE PARTOUT DANS LE MONDE. QU'ON LA CONSOMME SEULE OU EN ACCOMPAGNEMENT, C'EST UN PUR DÉLICE POUR LES PAPILLES.

INGRÉDIENTS
- 1 boîte de lait condensé sucré
- 1 c. à soupe (15 ml) d'extrait de vanille

PRÉPARATION

1. Dans une casserole remplie d'eau, déposer la boîte fermée de lait condensé. Poser un gros poids sur la boîte afin de la stabiliser. Amener à ébullition.

2. Retourner la conserve de lait après 1 heure de cuisson. Laisser cuire 1 autre heure.

3. Retirer la boîte de l'eau et la laisser reposer. Celle-ci doit être complètement froide avant d'être ouverte.

4. Remettre la boîte ouverte dans la casserole et parfumer avec l'extrait de vanille. Faire chauffer quelques minutes.

5. Laisser reposer et remplir un petit pot à confiture.

SUGGESTION DE VIN
États-Unis, Californie, Riche,
Domaine Chandon
Code SAQ : 11473428

4 À 6 PORTIONS
PRÉPARATION : 10 minutes
CUISSON : 25 minutes

Sucre à la crème comme un bonbon

GRAND CLASSIQUE QUÉBÉCOIS DU TEMPS DES FÊTES, LE SUCRE À LA CRÈME CONSTITUE
UN CADEAU PARFAIT POUR GÂTER LES BECS SUCRÉS... PETITS ET GRANDS!

INGRÉDIENTS

- 2 tasses (500 ml) de sirop
  d'érable
- 4 c. à soupe (60 ml) de beurre
- 1 tasse (250 ml) de crème
  à cuisson 35 %
- 1/4 tasse (60 ml) de cassonade
- 1 c. à soupe (15 ml) d'extrait
  de vanille ou de café

PRÉPARATION

1. Dans une casserole, déposer le sirop d'érable et porter à ébullition. Incorporer le beurre et bien remuer.

2. Dans une autre casserole, faire chauffer la crème avec la cassonade et l'extrait de vanille.

3. Mélanger les 2 préparations et laisser mijoter 15 minutes à feu doux tout en remuant.

4. Retirer la casserole du feu et brasser rapidement afin d'obtenir une préparation homogène.

5. Verser le sucre à la crème dans un récipient de 1 à 2 pouces (5 à 10 cm) de hauteur.

6. Laisser refroidir et emballer entier comme un bonbon.

GOURMANDISES À OFFRIR

KETCHUP AUX FRUITS

ON NE PEUT PAS TROUVER PLUS TRADITIONNEL ET CLASSIQUE QU'UN BON KETCHUP AUX FRUITS.
DANS CHAQUE FAMILLE, IL Y A UNE RECETTE. JE VOUS PRÉSENTE LA MIENNE.

INGRÉDIENTS

- 6 tomates rouges
- 4 tomates vertes
- 1 branche de céleri émincée
- 2 poivrons verts coupés
  en morceaux
- 1 poivron rouge coupé
  en morceaux
- 4 oignons
- 1 1/2 tasse (375 ml) de vinaigre
  blanc
- 2 tasses (500 ml) de sucre
- 1 c. à soupe (15 ml) de gros sel
- 5 pêches
- 5 poires
- 5 pommes
- 1 mélange concassé
  d'épices (sel, poivre,
  graines de moutarde,
  cannelle, piment
  fort, graines de coriandre
  et clou de girofle)

PRÉPARATION

1. Plonger les tomates rouges et vertes dans une casserole d'eau bouillante pendant 1 minute. Les retirer et les déposer dans de l'eau glacée. Retirer la peau.
2. Couper les tomates en petits cubes et les placer dans un poêlon avec le céleri.
3. Incorporer les poivrons et les oignons. Verser le vinaigre ainsi que le sucre et le sel.
4. Couper les fruits en cubes et les incorporer à la préparation de tomates.
5. Ajouter le mélange d'épices et laisser mijoter 1 heure à feu doux.
6. Remplir des pots stérilisés et conserver à l'abri de la lumière.

SUGGESTION DE VIN
France, Beaujolais, Saint-Amour,
Domaine Lassagne 2011
Code SAQ : 10367906

4 À 6 PORTIONS
PRÉPARATION : 20 minutes
CUISSON : 15 minutes

Croc choco-caramel

UNE PETITE GOURMANDISE QUI ALLIE CHOCOLAT ET CARAMEL? ON NE PEUT Y RÉSISTER! SIMPLE À OFFRIR, IL SUFFIT DE METTRE QUELQUES MORCEAUX EN SACHET OU DANS UNE JOLIE BOÎTE, ET LE TOUR EST JOUÉ!

INGRÉDIENTS

- 1 tasse (250 ml) de sucre
- 2 c. à soupe (30 ml) de beurre
- 1 tasse (250 ml) de chocolat 70 %

PRÉPARATION

1. Dans une casserole, déposer le sucre et faire cuire sans eau afin d'obtenir un caramel.

2. À coloration, retirer la casserole du feu et ajouter le beurre. Faire attention aux éclaboussures et remuer rapidement avec une spatule. Bien incorporer le beurre au caramel.

3. Verser dans un plat antiadhésif, de préférence en une couche mince. Laisser refroidir.

4. Faire fondre le chocolat au bain-marie. Le verser sur le caramel au beurre. Idéalement, la couche de chocolat devrait être de la même épaisseur que la couche de caramel.

5. Lorsque le chocolat est complètement refroidi, briser des morceaux de choco-caramel.

SUGGESTION DE VIN
France, Banyuls, Cuvée Parcé Frères, Domaine de la Rectorie 2010
Code SAQ : 10322661

4 À 6 PORTIONS
PRÉPARATION : 10 minutes
CUISSON : 15 minutes
CONGÉLATION : 1 heure

Pets de sœur érable-citron

CE DESSERT EST GÉNÉRALEMENT FAIT AVEC DES RESTES DE PÂTE À TARTE. MAIS POURQUOI ATTENDRE? UNE RECETTE TOUTE SIMPLE QUI RAPPELLERA CERTAINEMENT À PLUSIEURS DE NOMBREUX SOUVENIRS D'ENFANCE!

INGRÉDIENTS

- 1/4 tasse (60 ml) de sirop d'érable
- 2 c. à soupe (30 ml) de beurre
- 3/4 tasse (180 ml) de cassonade
- Le jus et le zeste de 1 citron
- 1 rouleau de pâte brisée

PRÉPARATION

1. Dans une casserole, verser le sirop d'érable et porter à ébullition. Ajouter le beurre et remuer hors du feu. Laisser refroidir.

2. Une fois le sirop complètement refroidi, incorporer la cassonade, le jus et le zeste de citron.

3. Étaler la pâte brisée sur le plan de travail. Étendre 90% de la préparation de sucre au citron. Rouler pour faire un gros boudin.

4. Badigeonner le boudin avec le reste de la préparation et le placer au congélateur pendant 1 heure.

5. À l'aide d'un couteau, couper des rondelles d'un centimètre d'épaisseur et les placer sur une plaque. Faire cuire au four à 350 °F (175 °C) de 15 à 20 minutes ou jusqu'à coloration.

SUGGESTION DE VIN
Canada, Québec, Cidre de glace
Saragnat 2009
Code SAQ : 11133221

4 À 6 PORTIONS
PRÉPARATION : 25 minutes
CUISSON : 1 heure
REPOS : 15 à 20 minutes

Rillette de volaille comme un creton

LE CRETON, UNE SPÉCIALITÉ QUÉBÉCOISE, RENCONTRE SON ÉGAL FRANÇAIS, LA RILLETTE. PRÉPARÉE AVEC DU POULET ET DU GRAS DE CANARD, CE PETIT CADEAU FERA LE PLAISIR DE TOUS CEUX ET CELLES QUI LE RECEVRONT!

INGRÉDIENTS

- 1 poitrine de poulet
- 1 tasse (250 ml) de gros sel
- 2 tasses (500 ml) de gras de canard
- 1 branche de thym
- 1 branche de romarin
- 2 c. à soupe (30 ml) de câpres hachées
- 3 c. à soupe (45 ml) de vinaigre de vin rouge
- Sel et poivre du moulin

PRÉPARATION

1. Déposer dans une assiette la poitrine de volaille et l'enrober de gros sel. Laisser reposer de 15 à 20 minutes.

2. Rincer la volaille à l'eau froide et l'assécher avec du papier absorbant.

3. Dans une casserole, faire fondre le gras de canard. Déposer la poitrine de poulet ainsi que les branches de thym et de romarin.

4. Laisser mijoter à petit feu environ 1 heure pour faire confire.

5. Retirer la viande et la déposer dans un mélangeur. Ajouter les câpres et le vinaigre ainsi qu'un peu de gras de canard. Mélanger pour obtenir une rillette bien lisse.

6. Rectifier l'assaisonnement et déposer les rillettes dans de petits ramequins. Verser du gras de canard sur la surface des rillettes pour la conservation.

7. Garder au frais.

SUGGESTION DE VIN
France, Arbois, Chardonnay,
Domaine Tissot 2009,
Code SAQ : 11194701

4 À 6 PORTIONS
PRÉPARATION : 10 minutes
CUISSON : 5 minutes
REPOS : 15 minutes

Bâtonnets de cheddar frits comme un pogo

VOICI UNE RECETTE SIMPLE ET SAVOUREUSE QUI RÉVEILLERA L'ENFANT QUI SOMMEILLE EN VOUS.
UN DÉCADENT CARRÉ DE FROMAGE ENROBÉ DE CHAPELURE CROUSTILLANTE: UN DÉLICE!

INGRÉDIENTS
- 1/3 à 1/2 lb (150 g à 225 g) de fromage cheddar
- 2 œufs
- 1 tasse (250 ml) de chapelure de pain
- Quelques bâtons à café en bois
- 1 bain d'huile végétale pour la friture

PRÉPARATION

1. Couper le cheddar en rectangles de 2,5 cm d'épaisseur pour former des bâtonnets.

2. Battre les œufs dans un bol et verser la chapelure dans une grande assiette.

3. Embrocher le fromage avec les bâtons à café, comme un pogo.

4. Les tremper dans les œufs battus puis les recouvrir de chapelure. Laisser reposer 15 minutes au frais.

5. Faire frire les bâtonnets de cheddar dans un bain d'huile très chaude jusqu'à coloration.

6. Les déposer sur un papier absorbant pour retirer le surplus de gras. Consommer chaud.

SUGGESTION DE VIN
France, Crémant du Jura, vin mousseux, André et Mireille Tissot
Code SAQ : 11456492

Salade crémeuse de céleri-rave et pomme verte au crabe

POUR METTRE UN PEU DE CROQUANT DANS VOTRE MENU, JE VOUS SUGGÈRE UNE SALADE DE CÉLERI-RAVE. ON Y AJOUTE DU CRABE ET DE LA POMME VERTE AFIN DE LUI DONNER UNE TOUCHE PLUS FESTIVE ET UNE POINTE D'ACIDITÉ.

INGRÉDIENTS

- 1 tasse (250 ml) de céleri-rave râpé
- 1 tasse (250 ml) de petits bâtonnets de pomme verte
- Le jus de 1/2 citron
- 1 filet d'huile d'olive
- 1 1/2 c. à soupe (22,5 ml) de mayonnaise
- 3/4 tasse (180 ml) de chair de crabe
- 1 c. à soupe (15 ml) de coriandre hachée
- Sel et poivre du moulin
- 1 c. à soupe (15 ml) d'œufs de poisson volant rouge (tobiko)

PRÉPARATION

1. Dans un bol, déposer le céleri-rave ainsi que les bâtonnets de pomme. Verser le jus de citron et l'huile d'olive. Bien mélanger.

2. Dans un autre bol, mélanger la mayonnaise et le crabe. Parfumer avec la coriandre hachée. Assaisonner de sel et de poivre.

3. Additionner les deux préparations et déposer une petite portion de salade dans une assiette à l'aide d'un emporte-pièce.

4. Dans un bol, verser un filet d'huile d'olive et les œufs de poisson.

5. Déposer ce mélange sur la salade de crabe. Servir très frais.

SUGGESTION DE VIN
France, Anjou, chenin blanc,
Domaine Jo Pithon 2009
Code SAQ : 10525345

4 À 6 PORTIONS
PRÉPARATION : 25 minutes
CUISSON : 2 heures

Civet de cerf comme un bourguignon

D'ORIGINE MOYENÂGEUSE, LE CIVET ÉTAIT PRÉPARÉ AVEC DU LIÈVRE.
AUJOURD'HUI, ON RETROUVE DES CIVETS DE LAPIN, DE CHEVREUIL ET MÊME DE SANGLIER.
JE VOUS LE PROPOSE ICI AVEC LA DÉLICIEUSE VIANDE DE CERF.

INGRÉDIENTS

- 2 lb (1 kg) de cubes de cerf
  à ragoût
- 1 gousse d'ail hachée
- 3 c. à soupe (45 ml) de farine
- Sel et poivre
- 1 filet d'huile d'olive
- 3 carottes coupées en rondelles
- 1 oignon haché
- 1 feuille de laurier
- 3 c. à soupe (45 ml) de pâte
  de tomate
- 2 branches de céleri émincées
- 3 tasses (750 ml) de vin rouge
- 3 tasses (750 ml) de bouillon
  de bœuf
- 1/2 tasse (125 ml) de petits
  oignons perlés
- 1 tasse (250 ml) de champignons
  de Paris coupés en quartiers
- 1 tasse (250 ml) de lardons
  coupés en dés

PRÉPARATION

1. Dans un bol, déposer les cubes de viande et l'ail. Parsemer de farine. Assaisonner de sel et de poivre.

2. Dans un grand poêlon, faire revenir avec un filet d'huile d'olive la viande, les carottes et l'oignon.

3. Déposer la feuille de laurier et ajouter la pâte de tomate. Remuer. Incorporer le céleri.

4. Arroser avec le vin et le bouillon de bœuf.

5. Faire mijoter puis placer au four à 350 °F (175 °C) pendant 2 heures.

6. Dans une poêle, faire revenir les oignons, les champignons et les lardons avec un filet d'huile d'olive.

7. Retirer la viande du four et incorporer les légumes juste avant de servir. Excellent avec une purée de pommes de terre à l'ail confit.

SUGGESTION DE VIN
France, Corbières, Terres Rouges,
Château Grand Moulin 2008
Code SAQ : 873653

Vacherin dans une meringue

SI VOUS NE CONNAISSEZ PAS CE DESSERT D'ORIGINE LYONNAISE, LAISSEZ-VOUS SURPRENDRE. DE LA MERINGUE, DE LA CRÈME GLACÉE, DE LA CRÈME CHANTILLY ET DES PETITS FRUITS. ÇA NE PEUT QU'ÊTRE DÉLICIEUX!

INGRÉDIENTS
- 4 à 6 grosses meringues du commerce
- 1 tasse (250 ml) de crème glacée à la vanille
- 1/4 tasse (60 ml) de coulis de fruits rouges
- 1/2 tasse (125 ml) de framboises
- 1 tasse (250 ml) de crème chantilly

PRÉPARATION
1. À l'aide d'un couteau à dents, diviser les meringues dans le sens de la longueur.
2. Creuser légèrement l'intérieur de chacune d'elles avec une cuillère.
3. Placer une quenelle de crème glacée à la vanille au centre des meringues.
4. Ajouter le coulis de fruits rouges et parsemer de framboises.
5. Napper de crème chantilly et recouvrir avec le chapeau de la meringue.

SUGGESTION DE VIN
Canada, Péninsule du Niagara,
Cabernets Icewine, Tawse, 2008
Code SAQ : 11395167

2 PORTIONS
PRÉPARATION: 10 minutes
CUISSON: 5 à 6 minutes

Crevettes en brochette Cupidon

VOILÀ UN DÉBUT DE REPAS QUI NE LAISSERA PAS VOTRE DOUCE MOITIÉ INDIFFÉRENTE.

INGRÉDIENTS

- 4 grosses crevettes décortiquées
- Le jus de 1 lime
- Sel et poivre du moulin
- 1 pincée de piment
- 1 filet d'huile d'olive
- 1 c. à soupe (15 ml) de graines de sésame blanches et noires
- 1 rose sur tige

PRÉPARATION

1. Dans un bol, déposer les crevettes et les arroser de jus de lime.

2. Les assaisonner de sel, de poivre et d'une pincée de piment. Verser un filet d'huile d'olive. Bien mélanger.

3. Tremper les crevettes dans les graines de sésame.

4. Déposer sur une plaque à cuisson et faire cuire au four à 350 °F (175 °C) de 5 à 6 minutes.

5. Embrocher les crevettes sur la tige de la rose et servir en bouchée apéritive.

SUGGESTION DE VIN
Italie, Lombardie, Franciacorta,
Brut, Bellavista
Code SAQ : 340505

2 PORTIONS
PRÉPARATION : 20 minutes
CUISSON : 20 minutes

Cœur d'artichaut et trempette de crabe

VOICI UNE ENTRÉE QUI SE CONSOMME À DEUX, DANS LE MÊME PLAT
PLUTÔT QU'INDIVIDUELLEMENT. JOUEZ LA CARTE DE LA SÉDUCTION!

INGRÉDIENTS

- 1 gros artichaut bien ferme
- 1/3 tasse (80 ml) de chair de crabe finement hachée
- 2 c. à soupe (30 ml) de mayonnaise
- 1/2 gousse d'ail hachée
- Sel et poivre du moulin
- Le jus et le zeste de 1/2 citron
- 1 filet d'huile d'olive

PRÉPARATION

1. Dans une casserole d'eau bouillante salée, plonger l'artichaut et le laisser cuire complètement (environ 20 minutes). Le retirer et le conserver au frais.
2. Dans un bol, déposer la chair de crabe, la mayonnaise et l'ail haché. Assaisonner et remuer.
3. Ajouter le jus et le zeste de citron. Conserver au frais.

4. Poser l'artichaut sur un plan de travail et, à l'aide de la paume de la main, presser le dessus afin que celui-ci s'ouvre complètement comme une fleur.
5. Verser un filet d'huile d'olive sur les feuilles de l'artichaut, assaisonner et déposer la trempette de crabe au cœur de l'artichaut.

SUGGESTION DE VIN
France, Beaujolais, Morgon,
Marcel Lapierre 2011
Code SAQ : 11305344

2 PORTIONS
PRÉPARATION : 30 minutes
CUISSON : 20 minutes

Pétoncles saisis et
fine crème parfumée aux baies roses

VOICI UN PLAT HARMONIEUX ET TOUT EN DOUCEUR. LES BAIES ROSES Y AJOUTENT UN PEU DE PIMENT.

INGRÉDIENTS

- 2 topinambours épluchés et coupés en morceaux
- Sel et poivre du moulin
- 1 échalote finement hachée
- 1/4 tasse (60 ml) de vin blanc
- 1 tasse (250 ml) de crème 35 %
- 1 c. à soupe (15 ml) de baies roses
- 2 à 4 gros pétoncles
- 1 filet d'huile d'olive
- 1 noisette de beurre

PRÉPARATION

1. Faire cuire les topinambours et les réduire en purée. Assaisonner.

2. Dans une casserole, déposer l'échalote et le vin blanc. Porter à ébullition.

3. Aux trois quarts de l'évaporation, verser la crème et assaisonner. Laisser mijoter doucement.

4. Frotter les baies avec les mains et incorporer uniquement les copeaux à la sauce.

5. Saisir les pétoncles dans une poêle bien chaude avec un filet d'huile d'olive et une noisette de beurre.

6. Présenter les pétoncles sur un lit de purée de topinambours et napper avec la crème parfumée.

SUGGESTION DE VIN
France, Auxey-Duresses,
Comte Armand 2006
Code SAQ : 10796575

2 PORTIONS
PRÉPARATION : 10 minutes

La vie en rose

VOILÀ UNE FINALE PÉTILLANTE ET TOUTE EN DÉLICATESSE, À LA FOIS SIMPLE ET SAVOUREUSE.
ELLE EST PARFAITE POUR CLORE CE REPAS D'AMOUREUX!

INGRÉDIENTS

- Une coupe de vin pétillant
- Quelques gouttes d'eau
  de pétales de rose
- 2 boules de crème glacée
  à la vanille
- Framboises, fraises et bleuets
- Quelques éclats de meringues

PRÉPARATION

1. Servir une coupe de vin pétillant
et la parfumer d'eau de pétales
de rose.
2. Dans une coupe à martini,
déposer la crème glacée et l'arroser
du cocktail parfumé à la rose.

3. Ajouter quelques petits fruits.
et parsemer la préparation d'éclats
de meringues.
4. À l'aide d'un ruban, attacher une
rose au pied de la coupe à martini.
Déguster ce moment de partage
gourmand.

SUGGESTION DE VIN
Italie, Piémont, Moscato d'Asti,
Mauro Sebaste 2010
Code SAQ : 11565031

Voici venu le temps

de mettre un brin de soleil

dans vos assiettes!

Mes recettes gourmandes
PRINTANIÈRES

Risotto à la tomate, au basilic et aux olives noires

ORIGINAIRE DE L'ITALIE, LE RISOTTO EST UN PLAT TRADITIONNEL À BASE DE RIZ.

INGRÉDIENTS

- 1 noix de beurre
- 1/2 oignon émincé
- 2 tasses (500 ml) de riz carnaroli
- 1 tasse (250 ml) de vin blanc
- 6 à 7 tasses (1,5 à 1,75 litre) de bouillon de légumes
- 1 pincée d'origan
- 1/3 tasse (80 ml) d'olives noires dénoyautées et coupées en rondelles
- 1 tasse (250 ml) de pétales de tomates confites
- 1/4 tasse (60 ml) de beurre
- 3/4 tasse (180 ml) de parmesan râpé
- Quelques feuilles de basilic frais
- Sel et poivre du moulin

PRÉPARATION

1. Dans une grande poêle, déposer la noix de beurre et l'oignon. Faire cuire sans coloration.

2. Ajouter le riz et remuer continuellement avec une spatule jusqu'à ce qu'il devienne translucide.

3. Déglacer avec le vin blanc et remuer.

4. Verser le bouillon une louche à la fois jusqu'à cuisson parfaite du riz.

5. Ajouter l'origan, les olives noires et les tomates.

6. Incorporer le beurre et le parmesan.

7. Décorer de quelques feuilles de basilic et assaisonner. Servir bien chaud.

SUGGESTION DE VIN
Italie, Vénétie, Bardolino,
Zenato 2011
Code SAQ : 00907543

Risotto aux champignons et crémeux au parmesan

LE RISOTTO EST SOUVENT SERVI COMME *PRIMO PIATTO,* C'EST-À-DIRE EN ENTRÉE.

INGRÉDIENTS

- 1 noix de beurre
- 1/2 oignon émincé
- 2 tasses (500 ml) de riz carnaroli
- 1 tasse (250 ml) de vin blanc
- 6 à 7 tasses (1,5 à 1,75 litre) de bouillon de légumes
- 2 portobellos émincés et grillés
- Quelques gouttes d'huile de truffe
- 1/4 tasse (60 ml) de beurre
- 3/4 tasse (180 ml) de parmesan râpé et quelques copeaux
- 1 c. à soupe (15 ml) de ciboulette hachée
- Sel et poivre du moulin

PRÉPARATION

1. Dans une grande poêle, déposer la noix de beurre et l'oignon. Faire cuire sans coloration.

2. Ajouter le riz et remuer continuellement avec une spatule jusqu'à ce qu'il devienne translucide.

3. Déglacer avec le vin blanc et remuer.

4. Verser le bouillon une louche à la fois jusqu'à cuisson parfaite du riz.

5. Ajouter les champignons et quelques gouttes d'huile de truffe.

6. Incorporer le beurre et le parmesan râpé.

7. Parsemer de ciboulette et de copeaux de parmesan et assaisonner. Servir bien chaud.

SUGGESTION DE VIN
France, Bourgogne,
Faiveley 2009
Code SAQ: 142448

4 À 6 PORTIONS
PRÉPARATION : 45 minutes
CUISSON : 25 minutes

Risotto à l'émincé de poulet et citron confit

LE SUCCÈS DE CE PLAT NÉCESSITE AVANT TOUT UN RIZ RICHE EN AMIDON. HABITUELLEMENT,
LE RIZ ROND EST UTILISÉ POUR CE PLAT. SON NOM EST CELUI DE SON LIEU DE PROVENANCE.

INGRÉDIENTS
- 1 noix de beurre
- 1/2 oignon émincé
- 2 tasses (500 ml) de riz carnaroli
- 1 tasse (250 ml) de vin blanc
- 6 à 7 tasses (1,5 à 1,75 litre)
  de bouillon de légumes
- 1/4 tasse (60 ml) de beurre
- 3/4 tasse (180 ml) de parmesan
  râpé
- 2 c. à soupe (30 ml) de citron
  confit
- Le jus de 1 citron
- 2 poitrines de volaille cuites
  et émincées
- Quelques petites fleurs séchées
- Sel et poivre du moulin

PRÉPARATION
1. Dans une grande poêle, déposer la noix de beurre et l'oignon. Faire cuire sans coloration.
2. Ajouter le riz et remuer continuellement avec une spatule jusqu'à ce qu'il devienne translucide.
3. Déglacer avec le vin blanc et remuer.
4. Verser le bouillon une louche à la fois jusqu'à cuisson parfaite du riz.
5. Incorporer le beurre et le parmesan.
6. Ajouter le citron confit et le jus de citron. Assaisonner.
7. Déposer l'émincé de volaille sur le risotto et parsemer de quelques fleurs séchées.

SUGGESTION DE VIN
Australie, Chardonnay
Koonunga Hill 2011
Code SAQ: 321943

4 À 6 PORTIONS
PRÉPARATION : 45 minutes
CUISSON : 25 minutes

Risotto à la courge et aux graines de citrouille

MOELLEUSE ET CROQUANTE : CETTE VERSION DE RISOTTO EST UNE COMBINAISON PARFAITE.

INGRÉDIENTS

- 1 noix de beurre
- 1/2 oignon émincé
- 2 tasses (500 ml) de riz carnaroli
- 1 tasse (250 ml) de vin blanc sec
- 6 à 7 tasses (1,5 à 1,75 litre) de bouillon de légumes
- 1 1/2 tasse (375 ml) de cubes de citrouille cuite
- 1 pincée de gingembre en poudre
- 1/4 tasse (60 ml) de beurre
- 3/4 tasse (180 ml) de parmesan râpé
- Quelques feuilles de coriandre
- 3 c. à soupe (45 ml) de graines de citrouille grillées et salées
- Sel et poivre du moulin

PRÉPARATION

1. Dans une grande poêle, déposer la noix de beurre et l'oignon. Faire cuire sans coloration.

2. Ajouter le riz et remuer continuellement avec une spatule jusqu'à ce qu'il devienne translucide.

3. Déglacer avec le vin blanc et remuer.

4. Verser le bouillon une louche à la fois jusqu'à cuisson parfaite du riz.

5. Ajouter la courge, le gingembre et assaisonner.

6. Incorporer le beurre ainsi que le parmesan.

7. Parsemer de coriandre et de graines de citrouille.

SUGGESTION DE VIN
États-Unis, Californie,
Conundrum 2010
Code SAQ: 10921073

4 À 6 PORTIONS
PRÉPARATION : 50 minutes
CUISSON : 15 minutes
REPOS : 45 minutes

Pâtes fraîches sans oeuf, tomates et basilic

TOMATES, BASILIC ET PÂTES FRAÎCHES; RIEN DE PLUS ITALIEN! MÊME SI LES ITALIENS SONT LES PLUS GRANDS PRODUCTEURS DE PÂTES, RIEN NE VOUS EMPÊCHE DE TENTER L'EXPÉRIENCE VOUS-MÊME...

INGRÉDIENTS

- 4 1/3 tasses (500 g) de farine
- 1 tasse (250 ml) d'eau pétillante
- 1 tasse (250 ml) de tomates cerises
- 1 filet d'huile d'olive
- 1/2 tasse (125 ml) de feuilles de basilic frais
- 3 c. à soupe (45 ml) de noix de pin grillées
- Sel et poivre du moulin

PRÉPARATION

1. Dans un grand bol, déposer la farine en forme de puits et verser l'eau en filet. Mélanger avec les doigts.

2. Confectionner une boule de pâte homogène et conserver au frais durant 30 minutes.

3. Passer la boule de pâte dans un laminoir manuel afin de confectionner des tagliatelles. Laisser reposer de 10 à 15 minutes.

4. Dans une casserole d'eau bouillante salée, plonger les pâtes fraîches. Les retirer lorsqu'elles sont al dente et les égoutter.

5. Dans une grande poêle, faire revenir les tomates cerises avec un filet d'huile d'olive. Ajouter les pâtes. Incorporer le basilic et les noix de pin. Assaisonner.

SUGGESTION DE VIN
Italie, Vénétie, Valpolicella, Allegrini 2011
Code SAQ: 11208747

154

4 À 6 PORTIONS
PRÉPARATION: 50 minutes
CUISSON: 10 minutes
REPOS: 30 minutes

Tagliatelles aux œufs frais vitello tonnato

LONGUES ET PLATES, LES TAGLIATELLES TIENNENT LEUR NOM DE L'ITALIEN *TAGLIARE*, QUI SIGNIFIE *COUPER*. SERVIES AVEC LE VITELLO TONNATO, ELLES CONSTITUENT UN REPAS DES PLUS RÉCONFORTANTS.

INGRÉDIENTS
- 4 1/3 tasses (500 g) de farine
- 2 œufs
- 14 jaunes d'œufs
- 1 c. à soupe (15 ml) d'huile d'olive
- 1 longe de veau d'environ 1 lb (450 g) cuite au four
- 1/3 tasse (80 ml) de thon à l'huile
- 3 c. à soupe (45 ml) de câpres
- 6 filets d'anchois
- Le jus de 1/2 citron
- Quelques gouttes de vinaigre de vin rouge
- 1/4 tasse (60 ml) de mayonnaise
- Sel et poivre du moulin

PRÉPARATION
1. Dans un grand bol, déposer la farine en puits. Ajouter les œufs, les jaunes d'œufs et l'huile d'olive. Mélanger délicatement.
2. Laisser reposer la pâte de 20 à 30 minutes, puis la passer au laminoir manuel afin de confectionner des tagliatelles.
3. Découper en fines tranches la longe de veau.

4. Dans un bol, déposer le thon, les câpres et les anchois.

Ajouter le jus de citron, le vinaigre et la mayonnaise. Mélanger et assaisonner.
5. Dans une casserole d'eau bouillante salée, faire cuire les tagliatelles. Attention, les pâtes fraîches maison demandent moins de temps de cuisson que les pâtes sèches.
6. Déposer les pâtes dans une poêle et les faire revenir de 1 à 2 minutes avec le veau et la sauce.

SUGGESTION DE VIN
Italie, Piémont, Langhe,
Blange Arneis, Ceretto 2006
Code SAQ: 10872945

4 À 6 PORTIONS
PRÉPARATION : 55 minutes
CUISSON : 15 minutes
REPOS : 20 minutes

Raviolis maison au saumon fumé et à l'aneth

POPULARISÉS PAR LES ITALIENS, LES RAVIOLIS SONT À L'HONNEUR. FARCIS D'UN HEUREUX MÉLANGE DE SAUMON FUMÉ ET D'ANETH, VOILÀ UN PLAISIR POUR LE PALAIS !

INGRÉDIENTS

- 4 1/3 tasses (500 g) de farine
- 2 œufs entiers
- 14 jaunes d'œufs
- 1 c. à soupe (15 ml) d'huile d'olive
- 3/4 tasse (180 ml) de crème 10 % à cuisson
- Le jus de 1 citron
- 1 tasse (250 ml) de saumon fumé haché
- 1/3 tasse (80 ml) de brins d'aneth
- 1 c. à soupe (15 ml) de caviar de saumon
- Sel et poivre du moulin

PRÉPARATION

1. Dans un grand bol, déposer la farine en puits. Ajouter les œufs, les jaunes d'œufs et l'huile d'olive. Mélanger.

2. Laisser reposer la pâte de 15 à 20 minutes avant de la passer dans un laminoir manuel afin de réaliser des bandes de pâtes fraîches.

3. Dans une casserole, porter à ébullition la crème et assaisonner. Ajouter le jus de citron et le saumon fumé. Remuer et retirer du feu.

4. Laisser refroidir la préparation et y incorporer l'aneth.

5. Confectionner des raviolis à l'aide d'un emporte-pièce et les farcir de la préparation.

6. Faire cuire les raviolis dans une casserole d'eau bouillante salée.

7. Les servir avec un filet d'huile d'olive, quelques brins d'aneth et le caviar de saumon.

SUGGESTION DE VIN
Chili, Casablanca,
Fumé blanc, Errazuriz 2012
Code SAQ : 541250

Gnocchis aux trois fromages

GRAND CLASSIQUE DE LA CUISINE ITALIENNE, LES GNOCCHIS SONT DES PÂTES PRÉPARÉES À BASE DE FARINE ET DE POMMES DE TERRE. AVEC UNE SAUCE AUX TROIS FROMAGES, ELLES N'EN SONT QUE PLUS DÉCADENTES!

INGRÉDIENTS
- 1 kg (2,2 lb) de pommes de terre
- 2 1/2 tasses (300 g) de farine
- 2 œufs
- 1 c. à soupe (15 ml) de sel
- 1/3 tasse (80 ml) de crème 10 % à cuisson
- 1/3 tasse (80 ml) de ricotta
- 1/3 tasse (80 ml) de fromage de chèvre
- 1/3 tasse (80 ml) de fromage bleu bénédictin
- Sel et poivre du moulin
- 1 c. à soupe (15 ml) de ciboulette ciselée

PRÉPARATION
1. Déposer les pommes de terre entières sur une plaque à cuisson et les faire cuire au four de 30 à 40 minutes, soit jusqu'à cuisson complète, à 400 °F (200 °C).
2. Peler les pommes de terre et les réduire en purée.
3. Dans un grand bol, déposer la farine, les œufs et la purée. Mélanger avec 1 c. à soupe de sel jusqu'à l'obtention d'une pâte bien homogène.

4. Laisser reposer, puis former de petits boudins en farinant le plan de travail. Couper des gnocchis avec un couteau et les façonner à l'aide d'une fourchette.
5. Dans une casserole d'eau bouillante salée, plonger les gnocchis. Lorsqu'ils remontent à la surface, les retirer.
6. Dans une poêle, déposer la crème et les trois fromages. Laisser fondre et assaisonner.
7. Ajouter les gnocchis et parsemer de ciboulette.

SUGGESTION DE VIN
États-Unis, Californie, Sonoma County, Chardonnay, Rodney Strong 2010   Code SAQ: 10544714

4 À 6 PORTIONS
PRÉPARATION : 15 minutes
CUISSON : 10 minutes

Pizza sur pain pita

CUISINER AVEC LES ENFANTS, C'EST LEUR DONNER LE GOÛT DE LA BONNE CUISINE MAISON.
VOICI UN PLAT TOUJOURS APPRÉCIÉ DES PETITS : LA PIZZA SUR UN PAIN PITA. RIEN DE PLUS SIMPLE !

INGRÉDIENTS
- 1 gros oignon émincé
- 1 filet d'huile d'olive
- 4 à 6 pains pitas
- Sel et poivre du moulin
- 6 à 8 tomates en rondelles
- 10 tranches de jambon
- 1/3 tasse (80 ml) d'olives vertes dénoyautées
- Quelques feuilles de basilic frais
- 1 c. à thé (5 ml) d'origan séché
- 1 tasse (250 ml) de gruyère râpé

PRÉPARATION
1. Dans une poêle, faire revenir l'oignon jusqu'à coloration avec un filet d'huile d'olive.
2. Déposer les pains pitas sur une plaque à cuisson et garnir de l'oignon caramélisé. Assaisonner.

3. Ajouter les tomates, le jambon, les olives, le basilic et l'origan.
4. Couvrir de gruyère râpé.
5. Faire cuire au four jusqu'à ce que le fromage fonde.

À BOIRE
Italie, boisson gazeuse,
Brio Chinotto

CUISINER AVEC LES ENFANTS

Boulettes de viande géantes pour spaghetti

VOILÀ UN BON PLAT RÉCONFORTANT DE NOTRE ENFANCE ET FACILE À PRÉPARER AVEC LES PETITS.
UNE OCCASION POUR EUX DE METTRE LITTÉRALEMENT LA MAIN À LA PÂTE!

INGRÉDIENTS
- 3 tranches de pain de mie
- 1/4 tasse (60 ml) de lait tiède
- 1 échalote émincée
- 2 gousses d'ail hachées
- 1 lb (450 g) de porc haché
- 1 lb (450 g) de bœuf haché
- 4 œufs
- Sel et poivre du moulin
- 1 filet d'huile d'olive
- 3 tasses (750 ml) de sauce tomate

PRÉPARATION

1. Déposer dans un bol les tranches de pain et le lait. Malaxer le tout avec les mains et y incorporer l'échalote et l'ail haché.

2. Ajouter le porc et le bœuf ainsi que les œufs. Assaisonner de sel et de poivre.

3. Laisser reposer environ 20 minutes au frais et confectionner de grosses boulettes de viande.

4. Dans une poêle, faire revenir les boulettes avec un filet d'huile d'olive.

5. Ajouter la sauce tomate et laisser mijoter jusqu'à cuisson complète de la viande.

6. Servir avec du spaghetti.

À BOIRE
Jus de légumes,
V8 ou Fusion

159

4 À 6 PORTIONS
PRÉPARATION : 15 minutes
CUISSON : 15 minutes
REPOS : 5 minutes

Express au chocolat cuit au micro-ondes

LE CHOCOLAT EST SANS DOUTE LE DESSERT PRÉFÉRÉ DES ENFANTS. SIMPLE À RÉALISER
ET DEMANDANT PEU DE TEMPS DE CUISSON, CETTE RECETTE POURRA ÊTRE REFAITE TRÈS SOUVENT!

INGRÉDIENTS
- 1 tasse (250 ml) de chocolat noir
- 1/2 tasse (125 ml) de beurre
- 4 œufs
- 3/4 tasse (180 ml) de sucre
- 2/3 tasse (160 ml) de farine
- 1/2 tasse (125 ml) de lait

PRÉPARATION
1. Dans une casserole, à feu doux ou au bain-marie, faire fondre le chocolat avec le beurre.
2. Dans un bol, battre les œufs et le sucre.
3. Incorporer la farine à la préparation des œufs. Bien mélanger et verser le lait.

4. Ajouter la préparation de chocolat et remuer.
5. Verser le mélange à 3/4 de hauteur dans des petits ramequins. Laisser reposer 5 minutes.
6. Cuire au four micro-ondes à puissance moyenne pendant 2 minutes et déguster.

À BOIRE
Un verre de lait

4 À 6 PORTIONS
PRÉPARATION : 20 minutes
CUISSON : 35 minutes

Clafoutis aux bleuets et framboises

VOICI UN DESSERT À FAIRE DÉCOUVRIR À VOS ENFANTS. FACILE À PRÉPARER,
CE CLASSIQUE FRANÇAIS N'AURA PLUS DE SECRETS POUR EUX!

INGRÉDIENTS

- 2 tasses (500 ml) de bleuets frais
- 1/2 tasse (125 ml) de framboises fraîches
- 1 tasse (250 ml) de lait
- 1/3 tasse (80 ml) de beurre
- 1 c. à soupe (15 ml) d'extrait de vanille
- 3/4 tasse (180 ml) de farine
- 3/4 tasse (180 ml) de sucre
- 5 œufs

PRÉPARATION

1. Déposer les bleuets et les framboises dans un plat à gratin.
2. Dans une casserole, porter à ébullition le lait, le beurre et la vanille.
3. Dans un bol, mélanger la farine et le sucre. Ajouter les œufs et battre le tout à l'aide d'un fouet.

4. Verser la préparation au lait dans le mélange. Remuer afin d'obtenir une texture homogène.
5. Verser la préparation sur les bleuets et les framboises et faire cuire pendant 30 minutes dans un four préchauffé à 350 °F (175 °C).

À BOIRE
Jus grenade-bleuet, POM Wonderful

Chaussons à la viande

LORSQU'ON CUISINE UNE GROSSE PIÈCE DE VIANDE, IL Y A FORCÉMENT DES RESTES.
UNE FAÇON ORIGINALE DE LES UTILISER EST D'EN FAIRE DE PETITS CHAUSSONS.

INGRÉDIENTS

- 2 tasses (500 ml) de restants de rôti haché ou de viande fraîche hachée
- Sel et poivre du moulin
- 6 gousses d'ail finement hachées
- 2 c. à soupe (30 ml) de persil haché
- 1 filet d'huile d'olive
- 1 échalote émincée
- 1/2 oignon haché
- 1/2 c. à thé (3 ml) de cannelle
- 1 rouleau de pâte feuilletée

PRÉPARATION

1. Dans un bol, déposer la viande cuite ou hachée fraîche (bœuf, porc ou autre).

2. Assaisonner de sel et de poivre et incorporer l'ail et le persil. Mélanger.

3. Dans une poêle, verser un filet d'huile d'olive et faire revenir l'échalote et l'oignon.

4. Ajouter la viande et la cannelle et faire cuire.

5. Découper des cercles de pâte feuilletée à l'aide d'un bol.

6. Répartir le volume de viande au centre de chacun d'eux et refermer comme un chausson à l'aide d'autres cercles.

7. Faire cuire dans un four préchauffé à 350 °F (175 °C) pendant 15 minutes.

SUGGESTION DE VIN
Liban, vallée de Bekaa,
Château Kefraya 2007
Code SAQ : 964536

4 À 6 PORTIONS
PRÉPARATION : 20 minutes
CUISSON : 5 minutes

Arancini au risotto

SPÉCIALITÉ SICILIENNE, LES ARANCINI SONT DE PETITES BOULES DE RIZ QU'ON FAIT FRIRE.
CE PLAT EST PARFAIT POUR UTILISER VOS RESTES DE RISOTTO ET SE SERT TRÈS BIEN EN ENTRÉE.

INGRÉDIENTS

- 1 1/2 à 2 tasses (375 ml à 500 ml) de risotto cuit et froid
- 1/4 tasse (60 ml) de parmesan en poudre
- 1 gousse d'ail hachée
- Sel et poivre du moulin
- 3 œufs
- 1 tasse (250 ml) de chapelure de pain
- 1 bain d'huile végétale pour la friture

PRÉPARATION

1. Dans un bol, mélanger le risotto et le parmesan.
2. Ajouter l'ail haché, assaisonner et remuer.
3. Confectionner de petites boules de riz.
4. Battre les œufs dans un bol et ajouter quelques gouttes d'eau.

5. Plonger les boules de risotto dans la préparation d'œufs et les enrober une à deux fois de chapelure.
6. Chauffer le bain d'huile et faire cuire les arancini pendant 5 minutes, jusqu'à coloration.

SUGGESTION DE VIN
Italie, Sicile, Chardonnay,
Planeta 2009
Code SAQ : 855114

4 À 6 PORTIONS
PRÉPARATION : 20 minutes
CUISSON : 10 minutes

Omelette espagnole

L'OMELETTE EST UNE EXCELLENTE FAÇON PEU COÛTEUSE D'UTILISER VOS RESTES DE LÉGUMES.
JE VOUS PROPOSE UNE VERSION ESPAGNOLE DE CE PLAT DES PLUS RÉCONFORTANTS.

INGRÉDIENTS
- 1 1/2 oignon haché
- 1 filet d'huile d'olive
- 2 tasses (500 ml) de frites coupées en morceaux ou de pommes de terre rissolées
- 8 œufs
- 1/4 tasse (60 ml) de lait
- Sel et poivre du moulin

PRÉPARATION

1. Dans une poêle, faire revenir l'oignon avec un filet d'huile d'olive.

2. Ajouter les pommes de terre déjà cuites.

3. Battre les œufs dans un bol avec le lait et assaisonner.

4. Verser le mélange liquide dans la poêle. Laisser cuire pendant 5 minutes à feu doux, puis retourner l'omelette.

5. L'omelette espagnole sera succulente très épaisse et même froide.

SUGGESTION DE VIN
Espagne, Penedès, Gran Vina Sol
Chardonnay, Torres 2011
Code SAQ : 64774

4 À 6 PORTIONS
PRÉPARATION : 15 minutes
CUISSON : 15 minutes

Pouding de bananes au gratin

VOICI UNE BONNE RECETTE POUR LES RESTES DE PAIN SÉCHÉ. NOIX DE COCO, BANANES ET RHUM :
UNE COMBINAISON PARFAITE POUR RÉCHAUFFER VOS MATINS FRAIS!

INGRÉDIENTS
- 1/3 tasse (80 ml) de lait
- 3 c. à soupe (45 ml) de rhum
- 3 c. à soupe (45 ml) de sucre
- 1 tasse (250 ml) de croûtons
  de pain ou de mie de pain
  coupée en morceaux
- 2 bananes coupées en rondelles
- 2 c. à soupe (30 ml) de noix
  de coco râpée

PRÉPARATION
1. Verser le lait dans un bol et incorporer le rhum et le sucre.
2. Ajouter le pain et le laisser absorber tout le lait.

3. Dans un plat à gratin, mélanger le pain et les rondelles de bananes.
4. Saupoudrer de noix de coco et faire cuire pendant 15 minutes au four à 350 °F (175 °C).

SUGGESTION À BOIRE
Rhum brun Appleton Estate
Extra 12 ans (incorporé à un lait
de poule) Code SAQ: 105742

Carpaccio de pétoncles pavot-limette

VOILÀ UN EXEMPLE TOUT SIMPLE DE CEVICHE, HABITUELLEMENT SERVI SUR TOUTE LA CÔTE PACIFIQUE
DE L'AMÉRIQUE LATINE. IL S'AGIT EN FAIT D'UNE MARINADE DE FRUITS DE MER SERVIE FROIDE.

INGRÉDIENTS
- 4 à 6 gros pétoncles
- 1 filet d'huile d'olive
- Le jus et le zeste de 1 lime
- 1 c. à soupe (15 ml) de jus d'orange
- 1/2 c. à thé (2,5 ml) de graines de pavot
- 1 pincée de fleur de sel
- Poivre du moulin

PRÉPARATION
1. Trancher finement les pétoncles afin de réaliser un carpaccio.
2. Disposer les tranches à plat sur une assiette ou dans leur coquille.
3. Dans un bol, mélanger l'huile d'olive, le jus de lime et le jus d'orange.

4. Badigeonner les tranches de pétoncles avec le mélange d'huile.
5. Parsemer de zeste de lime et de graines de pavot.
6. Placer au frais de 5 à 10 minutes avant de servir. Au goût, saler avec la fleur de sel et poivrer.

SUGGESTION DE VIN
États-Unis, Monterey,
Malvoisie, Birichino 2010
Code SAQ : 11073512

4 À 6 PORTIONS
PRÉPARATION : 10 minutes
CUISSON : 5 minutes

Tagliatelles de courgettes

VOICI UNE FAÇON ORIGINALE D'APPRÊTER LES COURGETTES. CETTE GARNITURE POLYVALENTE SE MARIE À MERVEILLE AVEC LES POISSONS ET LES VOLAILLES.

INGRÉDIENTS

- 4 à 6 courgettes
- 1 filet d'huile d'olive
- Le jus de 1/2 citron
- 1 pincée de fleur de sel
- Poivre du moulin
- 2 c. à soupe (30 ml) de brins d'aneth

PRÉPARATION

1. À l'aide d'une mandoline ou d'une râpe chinoise, tailler finement les courgettes dans le sens de la longueur.
2. Dans une casserole d'eau bouillante, plonger les tagliatelles pendant quelques secondes, puis les retirer.
3. Placer les tagliatelles de courgettes dans un bol d'eau glacée afin de conserver leur croquant.
4. Dans une poêle, verser un filet d'huile d'olive et faire revenir rapidement les légumes.
5. Arroser de jus de citron et assaisonner de fleur de sel et de poivre.
6. Terminer avec quelques brins d'aneth.

SUGGESTION DE VIN
Afrique du Sud, Chardonnay,
Bouchard Finlayson 2010
Code SAQ : 11416108

4 À 6 PORTIONS
PRÉPARATION : 15 minutes
CUISSON : 30 minutes

Navarin de petits légumes

LE NAVARIN EST UN PLAT HABITUELLEMENT FAIT À BASE D'ÉPAULE D'AGNEAU ET DE LÉGUMES.
CELUI-CI EST 100 % LÉGUMES. LE MOT *NAVARIN* PROVIENDRAIT DU MOT *NAVET;*
ON TROUVE DONC TOUJOURS CE LÉGUME DANS LA PRÉPARATION.

INGRÉDIENTS
- 1 gros navet coupé en rondelles
- 1/3 tasse (80 ml) de petits pois
- 1/3 tasse (80 ml) de fèves edamame
- 1/4 tasse (60 ml) de petites carottes
- 1/4 tasse (60 ml) de pois mange-tout
- 1/4 tasse (60 ml) de haricots verts
- 1/4 tasse (60 ml) de mini épis de maïs
- 1 pomme de terre bleue coupée en morceaux
- 1 c. à soupe (15 ml) de feuilles de céleri hachées
- 1 gousse d'ail hachée
- 1 filet d'huile d'olive
- Sel et poivre du moulin
- 3 tasses (750 ml) de bouillon de légumes
- Le jus de 1 citron

PRÉPARATION

1. Dans un poêlon, déposer les légumes, l'ail et un filet d'huile d'olive. Faire revenir rapidement, mais sans coloration.
2. Assaisonner et verser le bouillon de légumes.
3. Laisser mijoter une vingtaine de minutes et incorporer le jus de citron.
4. Parsemer de quelques feuilles de céleri et servir bien chaud.

SUGGESTION DE VIN
Canada, Okanagan Valley,
Chenin blanc, Quail's Gate 2011
Code SAQ : 11262920

4 À 6 PORTIONS
PRÉPARATION : 15 minutes
CUISSON : 30 minutes

Tomates farcies aux légumineuses

ORIGINAIRES DE PROVENCE, LES PETITS FARCIS DE LÉGUMES AROMATISENT À MERVEILLE NOS TABLES GOURMANDES. L'AJOUT DES LÉGUMINEUSES SERA UN APPORT SANTÉ DE POIDS DANS CETTE RECETTE !

INGRÉDIENTS

- 4 à 6 tomates de vigne mûres
- 1 filet d'huile d'olive
- 3 gousses d'ail hachées
- 1/4 tasse (60 ml) de lentilles cuites
- 1/4 tasse (60 ml) de haricots blancs cuits
- 1/4 tasse (60 ml) de haricots rouges cuits
- Sel et poivre du moulin
- 1/4 tasse (60 ml) de sauce tomate
- Quelques gouttes de tabasco

PRÉPARATION

1. Couper le haut des tomates et conserver les chapeaux.
2. À l'aide d'une cuillère, retirer la chair des tomates.
3. Dans une poêle, faire revenir l'ail ainsi que la pulpe de tomate avec un filet d'huile d'olive.
4. Ajouter les légumineuses et assaisonner.
5. Verser la sauce tomate, parfumer avec quelques gouttes de tabasco et laisser mijoter.
6. Farcir l'intérieur de chaque tomate avec la préparation de légumineuses.
7. Placer les tomates sur une plaque à cuisson et faire cuire au four pendant 15 minutes à 350 °F (175 °C). Au moment de servir, remettre les chapeaux sur les tomates.

SUGGESTION DE VIN
France, Côtes de Provence, Château la Tour de l'Évêque 2011
Code SAQ : 972604

Carpaccio de poitrine de canard du lac Brome, salade de roquette et chips de parmesan

4 PORTIONS
PRÉPARATION : 30 minutes
CUISSON : 30 minutes

INGRÉDIENTS

- 1 poitrine de canard du lac Brome
- 1 tomate bien mûre
- 8 olives noires hachées
- 1 c. à soupe (15 ml) de ciboulette ciselée
- 1 échalote émincée
- 1/3 tasse (80 ml) d'huile d'olive
- 5 oz (150 g) de parmesan râpé
- 2 c. à thé (10 ml) de vinaigre balsamique réduit
- 2 bottes de roquette

PRÉPARATION

1. Trancher finement le canard afin d'en faire un carpaccio : l'idéal est de le trancher dans le sens de la largeur à l'aide d'un bon couteau ou de le laisser reposer 1 heure ou 2 au congélateur et de le couper dans le sens de la longueur avec un appareil pour trancher. Plus les tranches seront fines, plus la viande sera goûteuse.

2. Couper la tomate en petits morceaux et la déposer dans un bol. Ajouter les olives, la ciboulette et l'échalote. Verser l'huile d'olive, saler, poivrer et mélanger. Conserver ce tartare de légumes au frais.

3. Sur une plaque à pâtisserie recouverte de papier parchemin, faire des petits monticules de parmesan. Placer la plaque au four à 400 °F (200 °C) jusqu'à cuisson totale du fromage. Retirer et conserver à température ambiante.

4. Dans une assiette, disposer les tranches de canard en rosace et déposer une cuillère de tartare de légumes en leurs centres. Verser une vinaigrette faite de vinaigre balsamique et d'huile d'olive sur le canard.

5. Accompagner d'une salade de roquette assaisonnée de la même vinaigrette et de quelques chips de parmesan.

Moules à la ficelle façon Europea

6 PORTIONS
PRÉPARATION : 45 minutes
CUISSON : 15 minutes

INGRÉDIENTS

- 10 à 12 tranches de pain de mie écrasées avec les doigts
- 3/4 tasse (180 ml) de lait
- 6 gousses d'ail hachées
- 3 c. à soupe (45 ml) de persil haché
- 2,2 lb (1 kg) de moules
- 2 tasses (500 ml) de vin blanc
- 3 échalotes finement hachées
- Sel et poivre du moulin

PRÉPARATION

1. Dans un bol, déposer la mie et ajouter le lait pour bien humidifier le pain. Ajouter l'ail et le persil, et assaisonner. Bien mélanger pour former une pommade et réserver.

2. Nettoyer et retirer la barbe des moules. À l'aide d'un petit couteau, ouvrir en deux chaque moule. Farcir avec la pommade, refermer et ficeler les moules avec de la ficelle à rôti.

3. Faire cuire les coquillages dans le vin blanc et les échalotes à couvert pendant quelques minutes ou jusqu'à évaporation du liquide. Retirer les ficelles et servir les moules en canapé ou en entrée.

SUGGESTION DE VIN
France, Muscadet Sèvre et Maine sur Lié, Domaine Les Brome, 2008
Code SAQ : 11153150

Poêlée de calamars persillés, salade de poivrons rôtis

4 PORTIONS
PRÉPARATION : 15 minutes
CUISSON : 10 minutes

INGRÉDIENTS

- 1 1/4 lb (565 g) de calamars frais
- 4 poivrons rouges
- 1/2 tasse (125 ml) d'huile d'olive
- 1 c. à soupe (15 ml) d'ail haché
- 1 c. à soupe (15 ml) de persil haché
- Fleur de sel et poivre du moulin

PRÉPARATION

1. Rincer les calamars à l'eau froide et les couper en anneaux de 1 cm environ. Réserver au frais.

2. Disposer les 4 poivrons dans un plat allant au four et les recouvrir d'un filet d'huile d'olive. Faire cuire de 30 à 40 minutes à 400 °F (200 °C). Retirer la peau ainsi que les pépins des poivrons et les couper en fines lamelles.

3. Verser un filet d'huile d'olive dans une poêle froide et ajouter les calamars. Faire cuire jusqu'à coloration, soit de 4 à 8 minutes, en augmentant le feu progressivement. En fin de cuisson, incorporer l'ail et le persil haché. Assaisonner de sel et de poivre.

4. Dans une assiette, disposer les lanières de poivrons rôtis et y déposer les calamars.

Salade d'anchois marinés et petits légumes aux accents catalans

4 PORTIONS
PRÉPARATION : 20 minutes
CUISSON : 10 minutes
REPOS : une demi-journée

INGRÉDIENTS

- 1 courgette
- 1 tomate
- 1 poivron rouge
- 1 aubergine
- 1 oignon jaune
- 2 c. à soupe (30 ml) d'huile d'olive
- Fleur de sel et poivre du moulin
- 3/4 lb (350 g) d'anchois
- 3 c. à soupe (45 ml) de vinaigre de vin blanc ou de xérès
- 3 gousses d'ail hachées
- 30 ml (2 c. à soupe) d'huile d'olive
- Le jus de 1 citron
- 1 c. à soupe (15 ml) de miel
- 1 c. à thé (5 ml) de paprika fumé
- 1 filet d'huile d'olive
- 1 pincée de paprika

PRÉPARATION

1. Couper en fine brunoise la courgette, la tomate, le poivron, l'aubergine et l'oignon.

2. Dans une casserole, faire revenir les poivrons et les oignons dans un filet d'huile d'olive. Ajouter le reste des légumes et faire cuire de 2 à 3 minutes seulement afin de conserver le croquant des aliments. Assaisonner et réserver.

3. Avec les doigts, retirer la tête ainsi que l'arête centrale de chacun des anchois. Dans un bol rempli d'eau glacée, rincer les filets. Au besoin, rincer une deuxième fois. Bien éponger les filets pour les assécher.

4. Déposer les anchois dans un plat et les couvrir de vinaigre, d'ail et d'huile d'olive. Terminer avec le jus de citron et le miel. Conserver au frais au moins une demi-journée.

5. Faire chauffer légèrement de l'huile d'olive et ajouter le paprika fumé. Verser en filet sur les anchois marinés.

6. Au centre d'une assiette, déposer la salade de légumes et couvrir d'anchois marinés. Arroser d'un filet d'huile d'olive. Parfumer avec le paprika.

SUGGESTION DE VIN
France, Roussillon, Côté Mer, rosé, Domaine de la Rectorie, 2010
Code SAQ : 11632441

Remerciements

Mon premier merci s'adresse à vous, chers gourmets!

Merci de me lire et de me suivre
dans mes aventures gastronomiques.

Mon cœur bat toujours très fort
quand je vous rencontre dans l'un de mes restaurants.

Un grand merci à Monsieur Charron et à la rédaction
de La Semaine pour m'avoir fait vivre une belle expérience
avec le magazine.

Merci à Annie Tonneau pour son extrême gentillesse
et merci aussi à ses proches collaborateurs.

Merci surtout à vous, les cuisiniers et les pâtissiers,
qui m'entourez quotidiennement dans mes folles journées.

Merci d'être ma source d'inspiration.

Jérôme Ferrer
Grand Chef
Relais & Châteaux

Index des recettes

PLATS PRINCIPAUX

ACCOMPAGNEMENTS

Index des recettes